언어의 이해

언어의 숲에서 산책하기

송경안 박은경 황금연
김은영 양미애 김백승

신아사

언어학개론을 배운지 40년이 지나 이제 퇴직할 날을 헤아리고 있는 시점에서 이 책을 교정하고 있노라니 여러 분들이 생각났다. 지금은 모두 은퇴하시고 더러는 작고하신 분들이다. 필자의 언어학의 고향은 전남대학교 이환묵 선생님이시다. 대학 4년간 이분을 따라 다니면서 일주일에 한 번씩 과외공부(group study)를 한 것이 필자의 언어학 인생에 중요한 밑거름이 되었다. 가끔 전남대학까지 오셔서 그리고 방학 중 언어학회 세미나에서 가르쳐 주셨던 고려대학교 이기용 선생님, 대학원에서 가르쳐 주셨던 서울대학교 허웅, 김방한, 이병찬, 장석진, 이정민, 고영근 선생님을 잊을 수 없다. 작고하신 독일 보쿰대학의 젠틀맨 Helmut Schnelle 선생님은 필자의 박사학위 논문 지도교수였고 쾰른대학의 Bernd Heine 선생님에게서는 문법화와 언어유형론을 배웠다. 이 책이 이 은사님들의 이름에 누가 되지 않기를 간절히 바라는 마음이다.

개론서이기 때문에 다른 분들의 자료를 많이 참고할 수밖에 없었다. 공동저자들에게 출처표시를 꼼꼼히 해 주시라고 부탁드렸지만 더러 소홀히 된 부분이 있을 것이다. 관련 동학 분들께 이에 대해 양해를 구한다. 이 책 출판의 계기를 마련해 주신 전남대학교 기초교육원 김순임 전임 원장님께 감사드리고 부족한 책을 기꺼이 출판해 주신 신아사 정현걸 대표님께도 감사를 드린다.

2015. 7. 15.

저자대표 송경안 삼가 씀

목 차

제1장 언어와 인간

언어란 무엇인가?
인간의 언어와 동물의 언어
언어연구의 흐름

은 개인차가 있기는 하겠지만 하루에 평균 약 10만 개에 가까운 단어를 처리하며 살고 있는 셈이다. 이러한 수치는 언어활동이 얼마나 분주한가를 알려주는 예이다. 우리는 혼자 있을 때에도 텔레비전이나 라디오를 통해 언어와 접하며, 심지어 꿈속에서도 대화를 하고, 들어주는 사람이 없을 때에도 혼자 말을 하는 경우도 있다.

언제부터 말하기 시작했으며 언어규칙은 어떻게 생겨났을까?

인간의 언어는 고도로 발달된 신호체계이다. 인간이 이 신호체계를 언제 사용하기 시작했는지, 또 언어규칙은 언제, 어떻게 만들어졌는지는 아무도 모른다. 이것은 인간이 추적할 수 있는 한계를 벗어나 있기 때문이다. 인류가 가지고 있는 역사적 자료를 통해 거슬러 올라갈 수 있는 연대는 고작해야 몇 천 년 밖에 되지 않으며 그 이상의 것은 모두 추정일 뿐이다.

진화론자들은 인간의 언어가 10만 년 전, 동부 아프리카에서 발생했을 것으로 추정한다. 이들은 언어의 발생을 위해서 인간에게 다음 세 가지 조건이 먼저 갖추어졌을 것이라고 한다. 첫째, 인간이 어떤 공통적인 방식으로 세계를 바라볼 수 있었을 것이다. 그리고 이를 통해 인간은 사물과 행동을 함께 인식할 수 있었을 것이다. 둘째, 인간이 신체적으로 일련의 말소리를 만들어 낼 수 있는 능력을 갖추었을 것이다. 특히 이 능력은 직립보행의 부산물일 것이다. 즉 직립보행 시기 이전에는 신체의 구조상, 말소리의 생성이 불가능했을 것이라고 보는 것이다. 셋째, 인간이 사물에 이름을 붙이는 통찰력을 갖게 되었을 것이다. 이 통찰력이란 곧 소리의 조합이 사물을 의미하는 기호로 쓰일 수 있다는 인식이다. 이러한 선결 조건들이 갖추어진 다음에 초기의 인간들은 간단한 낱말들을 만들기 시작했을 것이다. 앞서 말한 대로 이와 같은 것들은 진화론자들의 추정일 뿐이고 이를 뒷받침할 증거는 없다.

그러면 관습적인 낱말의 배열, 즉 언어의 '규칙'은 어떻게 생성되었을까? 이 역시 인간의 인식의 한계를 벗어난 것이지만 다음과 같이 유추해 볼 수는 있겠다. 초기의 인간들 사이에서 언어규칙이 발생하는 과정은 인간의 새로운 관습이나 규칙이 발생하는 과정과 동일했을 것이다. 이 동일한 원리란 사람들 사이에서 어떠한 표현방식을 선호하게 되면 그것이 관습이 되고, 이 관습이 결국 '규칙'이 되는 것이다.

특정한 표현방식에 대한 선호는 인간이 세계를 바라보는 방식과 연관이 있을 것이다. 예를 들면 문장을 구성하는 3가지 중요한 요소가 주어(S), 동사(V), 목적어(O)인데 어떤 종족에서는 동사를 맨 먼저 말하고 이어서 주어와 목적어를 말하는 방식을 선호하다가 이것이 관습화되면서 VSO 어순의 언어가 만들어졌을 것이다. 아랍어가 여기에 속한다. 또 어떤 종족은 주어와 목적어를 먼저 말하고 동사를 맨 나중에 말함으로서 SOV 어순의 언어가 생겨났을 것이다. 한국어, 몽골어, 터키어 등이 여기에 속한다. 또 다른 종족들은 주어 다음에 동사를 말하고 이어서 목적어를 말하는 것을 선호하면서 SVO 어순의 언어가 생겨났을 것이다. '고양이가 쥐를 잡는 장면'을 보고 '고양이'를 먼저 말할 것인지, 아니면 '잡는다'는 말을 먼저 할 것인지는 그 종족의 세계를 바라보는 방식에 달려 있다고 할 수 있다.

원시 상태에서 언어의 규칙이 만들어진 과정을 이와 같이 추리해 볼 수는 있겠다. 그러나 주어–동사–목적어의 순서 정도를 가지고 인간언어의 규칙을 논하는 것은 지나치게 소박한 생각이다. 현대의 언어학이 밝힌 인간 언어의 규칙은 생각보다 훨씬 복잡한 것이며, 인간의 DNA 사슬만큼이나 정교하고 신비한 현상이다.[1] 21세기의 최신 디지털 기술로도 한 언어를 다른 언어로 완벽하게 자동 번역하는 것은 불가능하다. 언어현상이 그만큼 복잡하다는 뜻이며, 인간이 이렇게 복잡한 언어를 언제, 어떻게 갖게 되었는지는 알 수 없는 일이다. 신비한 생체가 언제, 어디에서, 어떻게 시작되었는지를 알 수 없듯이.

---

1) "선생님께서 도착하시었겠습니까?"라는 한국어 문장을 틀리지 않게 말하려면 얼마나 복잡한 규칙이 있어야 하는지 생각해 보면 언어가 얼마나 정교한 것인지 짐작할 수 있을 것이다.

언어에는 어떤 기능들이 있을까?

언어의 가장 기본적인 기능은 정보를 전달하는 것, 즉 새로운 소식을 교환하거나 기본적인 명령을 전달하는 것이다. 그러나 일상적인 상호작용의 대부분을 형성하는 사적인 대화에서는 이 정보적 기능 못지않게 중요한 것이 언어의 사교적 기능이다. 경우에 따라서는 의례적인 잡담이나 일상생활의 무의미한 세상 이야기가 대화의 핵심적인 역할을 담당할 수 있는데 이것이 언어의 사교적 기능이다. 영어에서 *How nice to see you! How are you?*와 같은 표현들이나 한국 사람들의 대화에서 흔히 볼 수 있는 3행시 짓기나 사오정 시리즈, 넌센스 퀴즈 같은 농담들이 그 예이다. 이는 언어를 통해서 원활한 인간관계를 유지하기 위한 것이다. 다른 영장류 동물들이 흔히 상대의 비위를 맞추기 위해 다정한 손질, 즉 '손질대화(grooming talking)'를 하는 것을 볼 수 있는데 인간은 이러한 일을 언어를 통해 하는 것이다.

언어는 또 느낌과 감정을 전달하는 데에도 사용될 수 있다. 물론 언어만을 가지고 우리의 느낌과 감정을 정확하게 나타낼 수는 없다. 그러나 다른 영장류들이 비명소리, 툴툴거림, 흐느낌, 몸짓 등에 의해 감정을 전달하는데 비해, 인간은 언어를 통해 느낌과 감정을 전달할 수 있다. 이밖에 언어는 심미적인 목적으로 사용되기도 한다. 가령 미술가들이 진흙으로 모형을 만들거나 그림을 그리는 것과 같이, 시인들은 시를 쓸 때 낱말을 조작해서 언어적 아름다움을 추구한다. 우리는 또 신경질적인 상황을 해소하거나 긴장을 풀기 위해서 말을 할 수 있는데, 이 역시 언어의 중요한 기능 가운데 하나이다. 현대 의학에서는 '대화치료'라는 용어를 쓰기도 한다.

음성언어와 문자언어

의사전달의 방법에는 언어적 방법과 비언어적 방법이 있다. 후자는 다시 동작언어(gesture language)와 신호언어(signal language)로 나뉘는데, 동작언어에는 표정, 손짓, 발짓, 몸짓, 수화 등이 해당하며, 신호언어에는 깃발, 횃불, 신호, 호각소리, 나팔소리 등이 해당한다.

언어적 의사전달 방법에는 음성언어와 문자언어가 있다. 음성언어는 발음기관을 통해 나오는 음성을 통해 전달되는 언어로서 진정한 의미의 언어, 즉 1차적이고 기본적인 언어에 해당한다. 문자언어는 음성언어의 단점을 보완하기 위해 문자를 가지고 시각적으로 전달하는 언어로, 2차적 언어라고 할 수 있다. 오늘날 대중매체와 인터넷, 핸드폰의 발달에 따라 문자가 의사소통의 주요 수단이 되면서, 문자언어는 더욱 중요하게 인식되고 있다.

음성언어와 문자언어는 각기 다른 특징을 가지고 있다. 음성언어는 청각의 감각기관을 수단으로 하기 때문에 시간적, 공간적 제약을 받지만, 문자언어는 시각적인 수단에 의한 것이기 때문에 이러한 제약을 받지 않는다. 음성언어는 화자의 발화에 직접적인 반응을 드러내며 동적인 특성을 나타내지만, 문자언어는 간접적이며 정적인 특성이 있다. 또 음성언어는 감정표현이 자유롭고 직접 문답이 가능하며 현장에서 즉시즉시 처리되는 반면, 문자언어는 생각을 정리하여 표현하거나 수정할 수 있는 장점이 있다. 끝으로, 음성언어는 선천적인 언어능력을 통해 자연스럽게 습득되지만, 문자언어는 인위적으로 학습해야 한다.

인간의 언어와 동물의 언어

언어는 인간과 동물을 구별시켜 주는 중요한 기준이라고 한다. 다른 동물들도 나름대로 신호체계를 가지고 있다고 하는데, 언어가 인간과 동물을 구분 짓는 기준이라는 근거, 즉 언어가 인간만의 것이라고 주장할 수 있는 근거는 무엇일까? 인간의 언어와 동물의 신호체계가 근본적으로 다르다는 뜻인데 그 차이는 무엇일까?

언어란 원래 특수한 음성 신호체계를 의미하는 것인데, 우리는 '꽃의 언어', '음악의 언어', '몸짓 언어' 등과 같이 언어라는 말을 매우 광범위한 의미로 사용하기도 한다. 물론 우리는 윙크하고, 손을 흔들고, 미소 짓고, 누군가의 어깨를 툭툭 치는 등 여러 가지 방식으로 의사소통을 할 수 있고, 문자, 점자, 수화 등 여러 가지 다른 매체를 통해서도 의사를 표현할 수 있다. 어떻든 음성을 사용하는 언어가 가장 널리 사용되는 언어이고, 가장 기본적이라는 사실은 부인할 수 없다.

그렇다면, 과연 언어는 분명하게 정의할 수 있는 대상인가? 그리고 인간의 언어가 어떻게 다른 동물의 의사소통 체계와 구별될 수 있을까? 오랜 세월 동안 인간은 말이라는 수단을 통해 의사소통하며 발전해 왔다. 한편 동물들도 비록 인간과 같이 말은 못할지라도 서로 의사소통을 하고 있다. 인간과 방법에 차이가 있을 뿐, 동물도 그들만의 언어를 가지고 있기 때문이다.

동물들은 소리, 몸짓, 냄새 등 다양한 방식으로 의사를 표현한다. 예를 들어 꿀벌의 경우, '꿀이 있다'는 의미를 나타내기 위해서, 원 모양이나 '8'자 모양으로 날아 원들이 만나는 중앙 지점으로 정확한 위치를 알리고 이를 통해 꿀이 있음을 나타낼 수 있다. 개미는 더듬이에서 페로몬이라는 물질을 분비하여 그 냄새로 다른 개미와 의사소통을 한다. 이에 따라 동물학자들은 동물들도 언어를 가지고 있다고 한다. 꿀벌, 침팬지, 돌고래 등은 그들 특유의 의사소통 방법을 가지고 있다는 것이다. 실제로 특별한 훈련을 한다면 인간과 동물 사이에서도 간단한 의사소통이 가능하다는 것을 누구나 경험할 수 있다. 이처럼 우리는 인간만이 언어를 가진 것이 아니라, 동물들도 그들 나름의 언어를 가지고 있다고 생각할 수 있다.

그러나 언어학자들은 인간만이 언어다운 언어를 가지고 있다고 주장한다. 새에게 날개가 있고, 물고기에게 지느러미가 있듯이, 인간에게는 언어가 있다는 것이다. 이들은 인간을 인간답게 하는 이 언어가 동물과 인간을 구분 짓는 중요한 특징이라고 생각한다. 그렇다면 인간의 언어와 동물의 언어를 구별시켜 주는 특징은 무엇일까? 동물의 의사소통 행위를 보면 어류는 약 10~15가지, 조류는 15~25가지, 포유동물은 20~40가지 신호를 사용한다. 그런데 인간의 언어는 적어도 수만에서 수십만 개의 단어가 있고, 이 단어들을 가지고 만들 수 있는 문장의 수는 무한하기 때문에 동물의 언어와 양적인 면에서부터 비교가 되지 않는다. 여기에 질적 차이까지 고려한다면, 인간의 언어와 동물의 언어가 같은 것이라고 말하기는 어려울 것이다.

인간의 언어가 갖는 특수성은 사회 · 문화적인 측면에서도 설명할 수 있다. 인간에게 사회와 문화가 있는 반면, 동물들에게는 군집이 존재할뿐 사회구조나 문화의 발전단계는 찾을 수 없다. 고려시대의 참새와 오늘날의 참새가 살아가는 방법이 다르지 않을 것이며 참새가 학교를 만들고 군대를 만드는 일도 없다. 넓은 의미의 문화 또는 인류의 문명을 '인간 경험의 총화'라고 했을 때, 이는 오랜기간 동안 기억과 경험의 축적 및 전수를 통해 형성된다. 중요한 것은 이러한 과정이 언어를 매체로 하지 않으면 형성될 수 없다는 것이고, 단순한 동물의 언어로는 이러한 것이 불가능하다는 것이다. 경험이나 문화의 축적과 전수는 고도로 발달한 인간의 언어로만 가능하며, 이것이 인간 언어와 동물 언어 사이에 또 하나의 중요한 차이라고 할 수 있다.

한편 인간의 언어습득은 문화적이며 유전적인 것이 아니다. 어린 아이가 한국어를 사용하는 것은 부모가 한국인이고 한국어를 사용하기 때문이 아니라, 한국어 문화권에서 언어를 습득했기 때문이다. 한국인 부모에게서 태어난 아이라고 해도, 어려서부터 미국에 이민을 간다면 영어를 배울 것이다. 즉 인간이 어떤 언어를 습득하느냐는 어떤 문화권에서 사느냐에 달려 있다. 그러나 동물의 언어는 그렇지 않다. 동물들의 경우 유전적으로 신호의 목록이 이미 결정되어 있다. 아시아의 참새나 유럽의 참새나 북아메리카의 참새나 지저귀는 소리가 같다. 또 참새가 까치들 틈에서 자랐다고 해서 까치 소리를 내는 것이 아니다. 인간 언어의 특징을 몇 가지 더 정리하면 다음과 같다.

창조성

인간은 한 번도 들어본 적이 없는 문장을 말할 수 있고 또한 이해할 수 있다. 이러한 현상을 언어의 '창조성'이라고 하며, 이런 특성에 의해 우리는 필요에 따라 새로운 문장을 생성해낼 수 있다. 즉, 인간의 언어는 어휘의 수가 한정되어 있긴 하지만, 새로운 단어를 언제나 만들어 낼 수 있으며, 언제나 새로들을 들으면서 자라도록 하였다. 그러나 그 새에게 다른 푸른머리되새들의 소리를 녹음한 테이프를 종종 들려주자, 그 새의 소리는 다른 새들의 소리와 동일하게 정상적으로 발달하였다.

이것은 인간 언어를 습득하는 데 요구되는 학습 과정과 매우 다른 양상을 보인다. 인간의 경우, 언어는 문화적으로 전수된다. 인간과의 접촉 없이 동물들에 의해 길러진 어린이들의 경우에서 보듯이, 고립된 상태로 길러진 인간은 언어를 전혀 습득하지 못한다. 갓 태어난 아기에게 언어에 대한 선천적인 소질이 있겠지만, 그 잠재적인 가능성이 활성화되기 위해서는 신중한 학습과 언어에 대한 장기적인 노출이 수반되어야 한다.

소리 신호의 사용

동물들은 다양한 방법으로 의사소통을 한다. 예컨대, 게는 서로에게 집게발을 흔들어서 의사소통하며, 벌은 꿀 출처의 행방을 알리기 위해 일련의 복잡한 '춤'을 춘다. 그러나 그런 방법은 인간, 메뚜기, 새, 돌고래, 소, 원숭이 및 다른 많은 종이 사용하는 소리의 사용만큼 보편적인 것은 아니다. 소리 신호에는 몇 가지 장점이 있다. 소리 신호는 어둠 속에서도 사용될 수 있으며, 상당히 떨어진 거리에서도 매우 다양한 메시지를 전달할 수 있다. 또한 다른 활동을 자유롭게 하면서도 신호를 보낼 수 있다. 그러나 다른 동물들도 음성신호를 흔히 사용하고 있기 때문에 이는 인간 언어의 중요한 특징이라고 할 수는 없다.

분절성과 조합성

인간의 음성신호가 동물의 음성신호와 다른 점이 있다면 분절성과 조합성이다. 동물의 소리는 작게 나누어지지 않고 하나의 신호가 통째로 나는데 비해 인간의 소리는 작은 단위, 즉 자음과 모음으로 나눌 수 있다. 이것이 분절성이다. 음성신호를 사용하는 동물은 종에 따라 각각 일련의 기본적인 소리를 가지고 있다고 한다. 소는 10가지 정도, 병아리는 약 20가지, 여우는 40가지 이상의 소리를 가지고 있다. 동물들은 이 기본적인 소리를 한 번에 한 가지씩 통째로 사용해서 뜻을 전달한다. 따라서 동물이 보내는 메시지의 수는 이들이 사용하는 소리의 수와 같다.

이와는 달리 인간의 말소리는 낱소리, 즉 자음과 모음으로 나눌 수 있다. 낱소리의 종류로만 보면 인간은 다른 동물들과 비슷한 수의 소리를 사용한다. 언어에 따라 차이는 있지만 평균 30~40개 정도이다. 그러나 인간은 이 낱소리들을 개별적으로 사용하지 않고 조합해서 사용한다. 예를 들면, 한국어의 '나무'는 네 개의 소리를 조합해서 만든 것이다. 이것이 말소리의 조합성이다.

분절성과 조합성은 인간 언어의 무한성 및 창조성의 바탕이 되는 중요한 특징이라고 하겠다. 즉, 분절된 소리를 조합함으로써 인간은 단어를 무한히 만들어 낼 수 있고, 이 단어들을 조합해서 다시 문장을 무한히 만들 수 있게 된다.

사회성

인간을 사회적 동물이라고 한다. 혼자 사는 동물이 아니라 다른 개체들과 함께 어울려서 사는 특징을 가진 동물이라는 뜻이다. 이렇게 공동체를 이루며 살아가는데 필수적인 것이 의사소통이며 언어는 따라서 인간과 떼어 놓을 수 없는 현상이다. 이 언어는 개인의 것이 아니라 사회 전체가 공유하는 것이며, 구성원들의 합의 없이 개인이 바꾸고 싶다고 해서 바꿀 수 있는 것이 아니다. 이것이 언어의 사회성이다. 언어는 개인적인 현상이 아니라 사회적인 현상이라는 뜻이다.

각 언어 공동체는 사회적 체계로서의 언어를 가지고 있는데 이를 Saussure(소쉬르)는 랑그(langue)라고 불렀고 이 사회적 체계가 구체적인 언어 현장에서 실현되는 것을 파롤(parole)이라고 했다. 사회적 체계로서의 언어와 구체적인 실현으로서의 언어를 구별한 것이다. 랑그는 한 언어가 갖는 추상적인 체계이며 구성원 모두가 공유하는 사회적 약속이다. 그것은 또한 체계이기 때문에 유한하다. 그에 비해 파롤은 개인적 발화이며 체계의 구체적 실현이기 때문에 무한하다.

우리가 말을 할 때 그 발화행위가 상대방에게 이해되기 위해서는 구성원 모두가 공유하는 사회적 약속, 즉 어휘나 문법체계 등이 있어야 한다. 랑그란 바로 그러한 언어규칙이자 사회적 약속이다. 그런 까닭에 우리는 언어의 어휘체계나 음운체계, 문법체계 등에 관한 지식이 없으면 상대방과 의사소통을 할 수 없다. 내 말을 이해시키려면 상대방과 언어의 코드를 같이 해야 하기 때문이다.

언어연구의 흐름

언어에 관한 연구는 크게 전통문법(그리스 시대~현재), 역사·비교언어학(19세기~현재), 구조주의 언어학(20세기 전반), 변형생성문법(20세기 후반)의 4단계로 나눌 수 있다.

전통문법(Traditional Grammar)

전통문법이란 서양문명의 출발점인 그리스에서부터 시작한 언어에 대한 논의로서 품사론 중심의 언어기술을 말한다. 오늘날 학교에서 가르치는 품사 중심의 문법이 바로 전통문법이다. 그리스 철학자 플라톤은 품사를 명사와 동사로 구분했다. 문장을 이루는 주요성분은 명사와 동사라는 뜻이다. 아리스토텔레스는 여기에 접속사를 더해서 3품사를 주장했다. 접속사란 오늘날 영문법 등에서 말하는 접속사는 물론 대명사, 관사, 관계대명사 등의 상관어를 포함한다. 이후 Thrax(트락스)에 의해 8품사가 정립된 이후 오늘날까지 영문법 등 유럽 언어의 문법은 물론 세계 거의 모든 나라에서 이 품사분류의 틀을 따르고 있다.

품사란 낱말의 종류이다. '품(品)'이라는 말은 종류라는 뜻이고 '사'는 낱말을 뜻한다. '품(品)'이 '종류'라는 뜻으로 쓰이는 예는 '1등품, 품종' 등에서도 볼 수 있다. 품사를 영어로는 *parts of speech*라고 하는데 *word classes*(어류)라는 말이 더 적합하다. 품사는 따라서 한 언어의 낱말들을 일정한 특징에 따라 분류해 놓은 것이다. 한 언어에 어떠한 품사들이 있으며 이들은 각각 어떠한 특징이 있는가를 파악하면 우리는 그 언어에 대해 많은 것을 알 수 있을 것이다.

품사를 분류하는 데는 형태, 기능, 의미 등 세 가지 기준이 적용된다. 영어의 예를 들어 보면 다음 (1)과 같다.

(1) 품사분류의 세 가지 기준

- 형태에 의한 분류

  동사: 인칭변화 한다, 시제를 가진다(*He comes, He came*).

  명사: 복수형을 가진다(*boy – boys, girl – girls*).

  형용사: 비교급을 가진다(*tall – taller, small – smallery*).

  부사: 형용사에 *–ly*가 붙은 말(*slowly*)

- 기능에 의한 분류

  대명사: 명사를 대신한다.

  형용사: 명사를 꾸민다(*a good man*).

  부사: 동사나 형용사, 다른 부사를 꾸민다(*very good, very slowly*)

  접속사: 낱말을 연결한다(*John and Mary*)

  전치사: 명사의 역할을 나타낸다(*to his office*: 동작의 방향)

- 의미에 따른 분류

  명사: 사물의 이름을 나타낸다.

  형용사: 사물의 성질을 나타낸다.

품사분류는 언어에 따라 다를 수 있고 각 언어에서도 학자에 따라 의견이 다를 수 있다. 따라서 각 나라마다 교육을 위해 표준안을 만드는데 이것이 곧 학교문법이다. 학자에 따른 한국어 품사분류의 예를 보면 (2)와 같다. 이 한국어 품사분류를 영어의 품사와 비교해 보면 '조사'와 '관형사'는 영어에 없는 것이고, 한국어 표준문법(학교문법)에는 '접속사'가 없는 것을 알 수 있다.

(2) 학자에 따른 한국어의 품사분류의 예(이광정, 1987 참조)

- 이병기(7품사): 명사, 동사, 형용사, 부사, 접속사, 감동사, 조사
- 최현배(10품사): 명사, 대명사, 수사, 동사, 형용사, 지정사, 관형사, 부사, 감탄사, 조사
- 박승빈(12품사): 명사, 대명사, 존재사, 지정사, 형용사, 동사, 조사, 조용사(보조용언), 관형사, 부사, 접속사, 감탄사
- 학교문법(9품사): 명사, 대명사, 수사, 동사, 형용사, 관형사, 부사, 감탄사, 조사

19세기 역사·비교언어학(Historical Comparative Linguistics)

역사·비교언어학은 19세기 역사주의 시대에 성행한 언어연구로서 언어의 본질에 접근하기 위해 그 역사를 거슬러 가 보자는 입장이다. 이들은 지구상의 다양한 언어가 태초에 하나의 언어에서 출발해서 분화된 것이라고 가정한다. 현재의 언어를 연구하여 분화되기 이전의 언어 상태를 추적하고 재구성하는 것이 이들의 목표이다. 전 단계의 언어를 조어(祖語)라고, 분화된 언어를 자어(子語)라고 부르며, 하나의 조어에서 나온 자어들을 어족(語族)이라고 한다. 이러한 언어연구는 자어들을 비교해서 조어의 상태를 추정해야 하기 때문에 언어들 사이의 비교가 필수적이다. 역사·비교언어학이라는 용어가 여기에서 유래한 것이다.

역사·비교언어학은 1786년 영국인 William Jones(윌리엄 존스)가 인도에서 산스크리트어(Sanskrit, 고대 인도어)를 발견함으로써 촉발되었다. Jones는

영국의 식민지인 인도에서 산스크리트어를 알게 되었는데, 이 언어가 유럽 언어와 비슷하다는 사실을 발견한 것이다. 몇 가지 예를 보면 (3)과 같다.

(3) 유럽언어와 산스크리트어 몇 가지 어휘 비교(김종현, 2009: 434)

그리스어	라틴어	산스크리트어	영어
phrater	frater	bhratar	brother
pater	pater	pitar	father
treis	tres	trayas	three

지리적으로 엄청나게 떨어져 있는 인도와 유럽의 언어 사이에서 이 정도의 유사성이 발견되었다면 이는 당시 언어 연구자들을 흥분시키기에 충분한 사건이었다. 이후 19세기 100년 동안 세계(유럽)의 언어연구는 여기에 매달렸다. 이 언어들의 역사를 거슬러 올라가다 보면 분명히 한 곳에서 만나게 될 것이라는 확신이 있었기 때문이다. 그리고 이들은 이 태고적 원시의 언어 상태를 알 수 있다면 인간 언어의 본질을 알 수 있을 것이라고 생각했다. 때 마침 발표되어 유럽의 정신계(학계)에 유행하기 시작한 다윈의 진화 가설은 언어학자들의 이러한 생각을 더욱 굳어지게 만들었다.

19세기 언어학자들의 이러한 노력은 어떤 결실을 맺었을까? 산스크리트어와 유럽 언어가 나누어지기 전의 언어 상태를 추적하여 재구성할 수 있었을까? 이에 대한 대답은 "아니요, 처음 아이디어는 그럴 듯했지만 성과는 별로 없었습니다!"이다. 한국어의 경우 500년 이전, 그러니까 세종대왕이 한글로 한국어를 표기하기 시작한 시기 이전에, 상태가 어떠했는지 아무도 정확히 모른다. 유럽 언어들도 약간의 차이는 있겠지만 이들의 원시 상태를 보여줄 만한 자료는 없다. 조금 단순화시켜서 말한다면 역사·비교언어학이 한 일은 (3)과 같은 예에서 '아버지'라는 말이 이 언어들보다 전 단계에서 어떤 형태였을 것이라고 추정해 보는 정도이다.

1950년대 중반에 시작된 Chomsky 언어학은 이후 많은 수정을 거치고, 분파를 형성하면서 오늘에 이르고 있는데 '언어능력'이라는 핵심 개념은 변하지 않았다. 특히 컴퓨터의 발달과 더불어 이를 언어연구와 접목시키려는 시도들이 나타나고 있다. 사람과 대화하는 로봇을 만들 수 있을지 지켜볼 일이다.

토론해 보기

- '구조'가 무엇인지 주위 사물의 예를 가지고 설명해 보자.
- 타고난 능력의 예를 동물에서 찾아보자.
- "선생님께서 도착하시었겠습니까?"라는 문장을 가지고 언어가 얼마나 복잡한 현상인지를 토론해 보자. (잘못된 문장을 생각해 보라.)

쉬어가기

유럽의 언어상황과 현대 영어의 발달

오늘날 유럽에는 크게 세 가지 부류의 언어들이 사용되고 있다. 이탈리아어, 프랑스어, 스페인어, 포르투갈어, 루마니아어의 로만스어 계통이 그 한 부류이고 독일, 네덜란드, 덴마크, 스웨덴, 오스트리아, 스위스 등지에서 사용되고 있는 언어들이 또 한 가지 부류인데 이를 게르만어라 부른다. 유럽의 또 한 가지 중요한 언어 부류는 슬라브족들이 사용하고 있는 슬라브어로서 이는 주로 러시아를 비롯한 동유럽에서 사용되고 있다.

로만스어는 고대 로마제국의 언어인 라틴어에서 발전한 언어들이다. 로마제국은 본래 이탈리아 반도 중부에 있던 라티움(Latium)이라는 조그만 나라에서 출발했으며, 여기에서 사용되었던 언어가 라틴어이다. 당시 이탈리아 반도에는 여러 언어가 사용되고 있었는데, 라티움이 로마제국으로 성장하면서 이탈리아 반도를 통일하게 되자, 다른 언어들은 소멸하였고 오직 라틴어만이 쓰이게 되었다. 그 후 로마제국이 유럽을 정복하면서 정복된 지역의 언어들을 라틴어화 했는데, 오늘날의 프랑스어, 스페인어, 포르투갈어, 루마니아어 등이 바로 이렇게 해서 발달한 언어들이다.

이에 비해 본래 유럽 북쪽 발트 해 연안에 살았던 게르만족들은 언어적으로 로마인들의 영향을 많이 받지 않았으며, 오늘날까지도 독특한 게르만어의 특징들을 보존하고 있다. 역사적으로 로마인들의 지배를 받지 않았기 때문이다. 영국의 식민지 개척과 특히 20세기 들어 미국의 영향으로, 영어는 거의 세계 공용어가 되었지만, 유럽에서 영어를 쓰는 나라는 영국밖에 없다. 전통적인 역사언어학은 영어를 게르만어로 분류하고 있는데, 사실 현대영어의 생성은 이원적인 경로를 밟는다. 유럽 서북부의 조그만

섬나라인 영국에 먼저 게르만의 일파인 앵글로색슨족이 침입하여 언어적으로 영향을 미친다. 고대영어는 고대 독일어와 거의 같다. 나중에 이 섬나라에 다시 프랑스의 노르만족이 침입하여 200~300년 동안 지배하게 되는데 이것이 영국 역사에서 유명한 노르만 정복(Norman Conquest) 사건이다(AD 1066년). 장기간의 프랑스의 지배는 당연히 영국의 언어에 영향을 미치게 되었고 그 후 이 섬나라에는 중세영어가 발달하는데 이것이 곧 현대영어의 모체이다. 현대영어는 따라서 로만스어(프랑스어)와 게르만어(독일어)의 요소가 혼합된 언어이며 프랑스어에 훨씬 가깝다. 예를 들면, 영어 어휘의 2/3가 프랑스어에서 온 것이다.

제2장 세계의 문자와 언어

세계의 문자
발달단계에 따른 문자구분
세계의 주요 문자
알파벳의 기원
한글: 인류의 위대한 지적 성과
터키와 베트남의 문자혁명
국어의 로마자 표기
외래어 표기법

세계의 언어
사용자 수에 따른 언어상황
친족관계에 따른 분류
언어의 유형

그림문자

문자는 그림으로부터 시작하였다. 사물을 그려서 그 사물을 가리키는 기호로 사용한 것인데 엄밀히 말하면 아직 문자라고 부를 수 없는 단계이다. 13~16세기의 중앙아메리카의 미즈텍 부족은 출생, 전쟁, 결혼, 죽음 등 역사적 사건들을 그림으로 나타냈다. 아래 그림은 왕의 결혼식을 표현한 것이다.

미스텍(Mixtec)의 그림문자(www.ancientscripts.com)

단어문자/표의문자

문자발달의 제2단계인 단어문자 또는 표의문자는 글자가 각각 하나의 뜻을 가진 단어를 나타내는 경우이며 중국의 한자가 대표적인 예이다. 이는 원래 사물의 모양을 본떠서 만든 것인데 지속적으로 추상화되고 단순화되어 사물과의 유사성이 약화된 결과로 생긴 것이다. 즉 한자의 자형은 처음에 그림에 가까웠으나 지속적으로 추상화되어 오늘날의 모양이 되었으며 글자가 나타내는 대상 또한 구체적 사물에서 추상적 개념으로 확장되었다. 아래 표에서 보는 것처럼 한자는 초기에 사물을 그려놓은 그림에 가까웠으나 지속적으로 추상화되어 오늘날의 모양이 된 것이다.

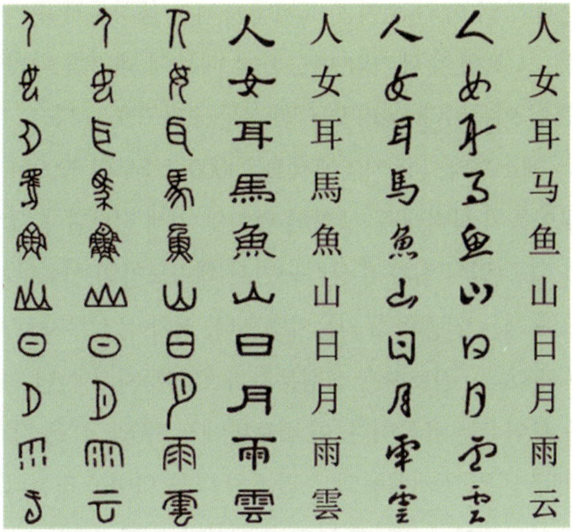

한자의 모양변화(www.ancientscripts.com)

설형문자와 상형문자

그림이 단순화되면서 한자와 같이 표의문자로 굳어지기도 하지만, 더 나아가면 단순화된 자형이 소리를 나타내는 문자, 즉 음성문자로 발전하기도 한다. 설형

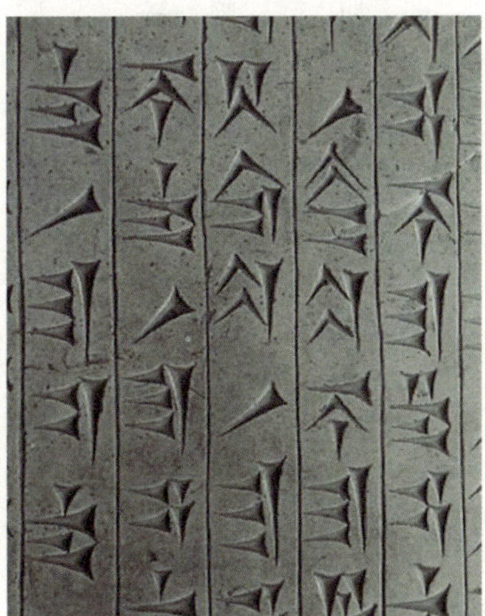

설형문자(쐐기문자 : www.ancientscripts.com)

문자와 상형문자가 그 예인데 이는 표의문자에서 음성문자로 가는 중간단계이다. 설형문자는 그 모양이 쐐기와 비슷하기 때문에 쐐기를 나타내는 '설(楔)'자를 이용하여 붙인 이름이다. 우리말로 '쐐기문자'라고도 한다.

설형문자는 메소포타미아 지역에서 BC 3000년경부터 3000년 이상 사용되던 문자다. 수메르인들이 상거래 등 생활의 편의를 위해 점토판에 그림을 새겨 사물을 나타내다가 그 그림이 점차 추상화되면서 쐐기모양의 설형문자가 되었다. 이들의 문자는 최초에는 일종의 표의문자였으나, 점차 음성문자로 발전하였다. 수메르인들의 쿠심(Kusim) 점토판은 설형문자가 표의문자가 아닌 음성문자로 쓰이기 시작했음을 보여주는 유물이다. 이 점토판에서 '쿠'와 '심'은 각각 하나의 사물을 가리키는데 '쿠심'은 그 사물들과는 완전히 다른 의미를 갖는다. 즉 '쿠심'이 사물의 모양과는 상관없이 소리만을 나타낸 것이다. 이후 수메르인의 문자는 음성문자로 굳어지게 된다.

이집트 상형문자(www.ancientscripts.com)

비슷한 시기에 이집트에서는 상형문자가 사용되었다. '상형'이란 '형태를 본뜬다'는 뜻이다. 그런데 이 글자는 해당 사물을 가리키는 것이 아니라 그 사물과 관련이 있는 소리를 나타낸다. 예를 들면 '집'의 모양을 본떠서 글자를 만들고 이것으로 '집'의 첫소리인 'ㅈ'을 나타내는 식이다.

음절문자

문자발달의 제4단계는 음절문자로서 모음과 자음의 구별이 없이 이들을 합해 한 글자로 표현한다. 음절이란 최소 발음단위로서 '가, 나, 다, 별, 밥' 등 한글 한 글자가 한 음절이라고 생각하면 된다. 한글에서는 이 글자들이 자음과 모음으로 구성되어 있는데, 자음과 모음의 경계가 없이 하나의 음절을 통째로 한 글자로 나타내는 경우가 있다. 일본의 히라가나와 가타카나가 대표적인 예이다. 예를 들면 한글에서 '가'는 자음과 모음 두 개의 글자가 합해진 것인데, 일본문자 'が'는 '가'로 소리 나지만 자음과 모음으로 분리할 수 없는 하나의 글자이다. 일본어의 다른 글자도 모두 마찬가지이다.

が ga	ぎ gi	ぐ gu	げ ge	ご go
ざ za	じ ji	ず zu	ぜ ze	ぞ zo
だ da	ぢ ji	づ zu	で de	ど do
ば ba	び bi	ぶ bu	べ be	ぼ bo
ぱ pa	ぴ pi	ぷ pu	ぺ pe	ぽ po

일본어 히라카나

자음 음소문자

문자발달의 다음 단계는 자음과 모음을 분리해서 표기하는 것인데 이를 음소문자라고 한다. 음소란 낱소리를 말하며 자음과 모음이 각각 하나의 음소이다. 음소문자 가운데는 자음 글자만 가지고 있고 모음 글자는 없는 것이 있는데 아랍문자가 그 예이다. 아랍어는 모음이 세 개 밖에 없어서 자음만 표기해도 모음을 유추해서 읽을 수 있기 때문에 이러한 문자체계가 가능한 것이다.

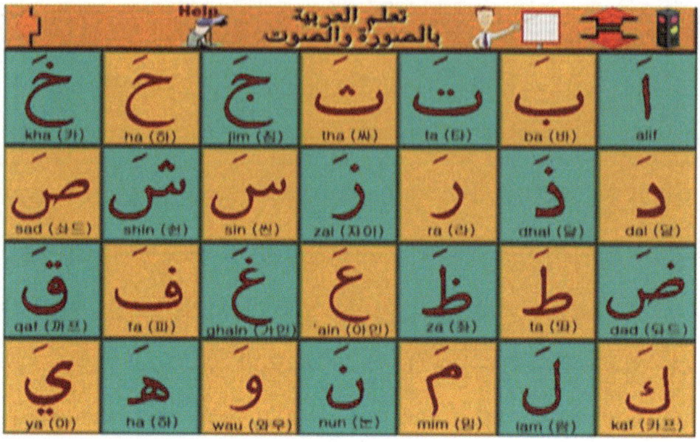

아랍문자

완전 음소문자

제6단계의 완전한 음소문자는 자음 뿐 아니라 모음도 문자로 표시하는 체계이다. 영어 알파벳이나 러시아의 키릴문자가 그 예이다.

(2) 라틴 알파벳 자모

모음자: a, e, i, o, u, (y)

자음자: b, c, d, f, g, h, j, k, l, m, n, p, q, r, s, t, v, w, x, z

조합형 음소문자: 한글

완전 음소문자에서 한 단계 더 나아간 것이 조합형 문자라고 할 수 있다. 조합형 문자란 기본 글자가 있고 이를 바탕으로 다른 글자들을 간단히 조합해 가는 것을 말한다. 한글이 여기에 속하며 한글은 지구상에 유일한 조합형 음소문자이다. 한글의 우수성 및 특징에 대해서는 다음에 자세히 다룰 것이다.

세계의 주요 문자

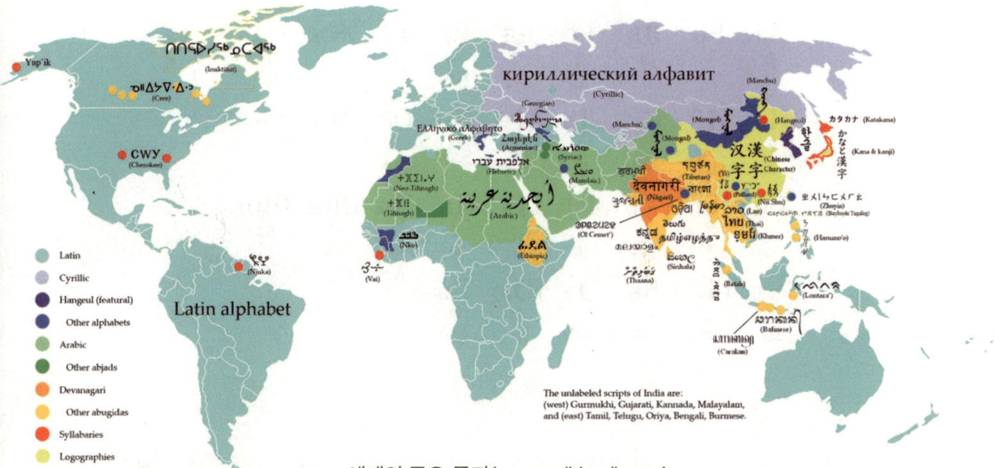

세계의 주요 문자(www.wikipedia.org)

로마문자: 지구상에 존재하는 6,000여 가지의 언어 중에서 문자를 갖춘 언어는 300여 개에 이른다. 이 문자들 중에서 현재 가장 넓은 지역에서 사용하고 있는 문자는 '라틴 알파벳'이라고 부르는 로마문자이다. '로마문자'란 고대 로마에서 사용한 문자라는 뜻이며 이것이 로마를 통해 유럽에 전해졌고 유럽인들의 식민지 개척으로 전 세계에 퍼져 오늘에 이르고 있다. '라틴 알파벳'이란 이름은 고대 로마의 언어를 라틴어라고 부른 데서 연유한 것이다. 이밖에 지구상에서 쓰이고 있는 문자를 몇 가지 더 살펴보면 다음과 같다.

키릴문자: 러시아와 주변 국가에서 사용하고 있는 문자를 '키릴문자'라고 한다. 키릴문자의 기원은 그리스 문자인데 9세기경에 그리스 수도사 키릴로스에 의해 고안되어 슬라브 사회에 도입되었다. 키릴문자는 그리스 알파벳의 모양에 슬라브어 발음을 나타내기 위해 여러 가지 특수기호를 추가한 것이다. 한편 이 키릴문자는 로마문자와 비슷하다는 것을 알 수 있는데 그 이유

는 로마문자가 그리스 문자에 바탕을 두고 있기 때문이다.

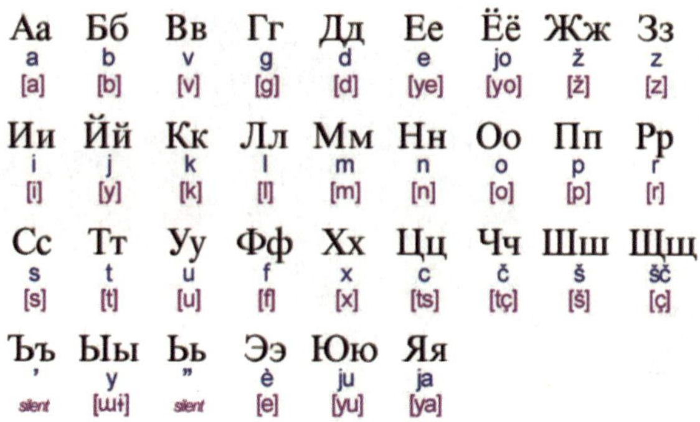

키릴 문자

인도문자: 인도는 영국으로부터 독립한 이후에도 영어를 공용어로 쓰고 있기 때문에 당연히 로마문자가 사용되고 있다. 그러나 인도는 영어 이외에도 여러 가지 고유한 종족 언어들을 함께 공용어로 사용하고 있으며 이에 따른 고유한 문자도 쓰고 있다. 2억 6천만 명이 사용하는 데바나가리 문자와 1억 인구가 사용하는 벵갈 문자 등이 그 예이다. 데바나가리 문자는 인도 브라만 문화권에서 사용되던 글자가 흘림체 글자로 발전된 것이며 힌디어는 이 문자를 사용한다.

인도 데바나가리 문자

한자: 아시아권에 광범위하게 영향을 미친 한자는 4천년 이상 사용되어 온 문자이며 대표적인 표의문자이다. 중국 대륙에서 구어는 지역에 따라 많은 차이가 있으나 문자는 모두 한자를 쓰기 때문에 이는 중국어의 지역적 차이를 극복하고 중국어 사용자들을 하나로 묶어 주는 역할을 한다. 1950년대 이후 중국 본토에서는 원래의 복잡한 한자를 간단하게 쓰는 간체자가 도입되었다. 문맹퇴치를 목적으로 상용한자 6,700자 중 2,200자를 간체자로 만든 것이다. 간체자란 획수를 줄인 약자이며, 원래의 한자는 번체자라고 부른다.

간체	번체	훈음(訓音)	간체	번체	훈음(訓音)
干	乾	마를 건	个	個	낱 개
干	幹	몸 간	么	麼	그런가 마
亏	虧	이지러질 휴	广	廣	넓을 광
才	纔	겨우 재	义	義	옳을 의
与	與	더불 여	卫	衛	막을 위
万	萬	일만 만	飞	飛	날 비
门	門	문 문	习	習	익힐 습
千	韆	그네 천	马	馬	말 마
亿	億	억 억	乡	鄉	고향 향

한자 번체자와 간체자 비교

일본문자: 일본문자는 음절문자와 표의문자 두 가지가 있다. 음절문자는 위에서 말한 '히라가나'와 '가타카나'를 말하며 표의문자란 일본식 한자이다. 일본에는 한자가 들어오기 전까지 문자가 없었다. 일본은 중국의 한자를 받아들여, 1,000여 개의 일본식 한자를 만들었다. 그러나 한자로는 일본어의 어미와 조사를 나타낼 수 없기 때문에 음절문자를 만들어 한자와 함께 사용한 것이다. 오늘날까지 일본의 문자는 기본적으로 한자이며 '히라가나'와 '가타카나'는 보조적인 문자이다. 일본의 신문을 보면 이를 한 눈에 알 수 있다.

일본의 신문

아랍문자: 아랍어는 전 세계적으로 대략 2억 명이 사용하는 언어이며, 아랍문자는 전 세계 인구의 1/7이 사용하는 문자이다. 아랍문자는 이슬람의 경전 코란의 문자로 이슬람교와 함께 널리 보급되었다. 현재 중동 국가들과 이집트 등 아프리카 북부지역 23개 국에서 아랍어를 공용어로 사용한다. 아랍문자는 28개의 자음글자만으로 구성된 자음문자인데 자음글자만으로 문자체계가 가능한 것은 아랍어의 간단한 모음체계 때문으로 보인다. 즉 아랍어는 모음이 3개밖에 없기 때문에(a, i, u) 자음글자만 가지고 모음을 짐작해서 읽는 것이다. 아랍문자는 오른쪽에서 왼쪽으로 쓰며, 모두 이어서 쓰고 같은 문자라도 위치에 따라 모양이 바뀌는 특징이 있다.

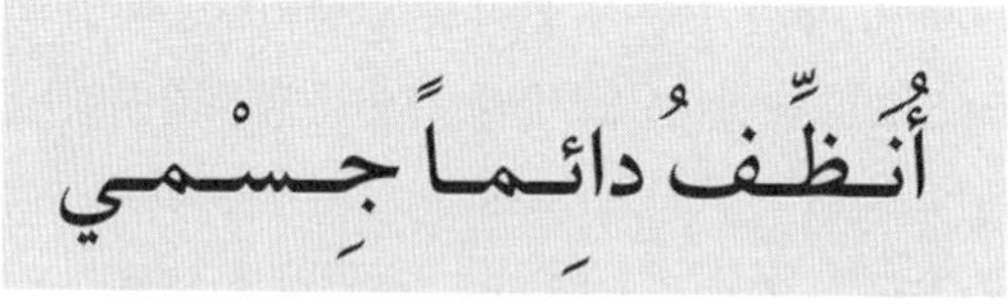

아랍어 문장

알파벳의 기원

우리는 알파벳을 로마문자 혹은 라틴문자라고 부른다. 고대 로마에서 사용한 문자라는 뜻이다. 라틴문자란 고대 로마어를 라틴어라고 부르는 데서 온 말이다. 고대 로마가 라티움(Latium)이라는 지역에서 출발했고 여기에서 쓰인 언어가 라틴어(Latin)였는데 이것이 나중에 로마의 공용어가 된 것이다. 지금도 로마 근교에 *Latina*라는 도시가 있다. 어떻든 알파벳은 고대 로마의 공용 문자였고 이것이 로마제국을 통해 유럽에 보급되어 오늘날 지구상에서 가장 널리 쓰이고 있는 문자가 되었다.

이에 따라 우리는 흔히 알파벳을 유럽 사람들이 만든 문자라고 생각하기 쉬운데 이는 사실과 다르다. 로마 사람들은 이 문자를 그리스에서 배웠다. *Alphabet*이라는 말은 원래 그리스어의 첫 번째 글자 '알파(Alpha)'와 두 번째 글자 '베타(Beta)'의 합성어인데, 이것만 보아도 이 문자가 어디에서 유래했는지 짐작할 수 있다. 그러면 이 문자를 그리스인들이 만들었을까? 그렇지 않다.

알파벳은 그리스인들의 독창적인 문자가 아니고 동양(오리엔트)의 페니키아라는 나라에서 온 것이다. 페니키아의 위치는 현재 이스라엘 북부와 시리아 지역의 지중해 연안인데, 한 때 막강한 해상 왕국으로 지중해권의 지배자였으며 이들이 아프리카 북부에 세운 나라가 명장 하니발의 나라 카르타고이다. 알파벳이라는 말 자체가 '알파'와 '베타'에서 왔다고 했는데 이 말들은 원래 페니키아어 *Aleph*(황소)와 *Bëth*(집)에서 온 것이다. 페니키아인들이 이 두 글자 [A, B]를 황소와 집의 모양을 본떠서 만들었기 때문이다. 결론적으로 알파벳은 원래 고대 오리엔트 지방의 페니키아에서 유래했으며 이것이 그리스를 거쳐 로마에 들어왔고 다시 유럽 전역과 세계로 전해진 것이다.

의 모양과 관련된 조음기관의 모양을 그림으로 보면 다음과 같다(http ://blog.daum.net/wingjindo/174).

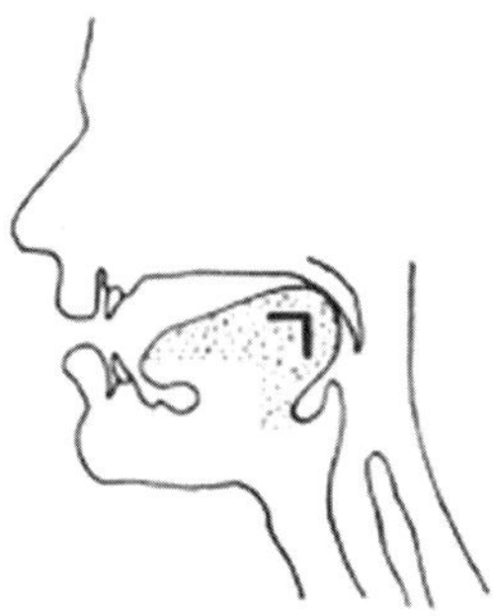

[ㄱ > ㅋ, ㄲ]

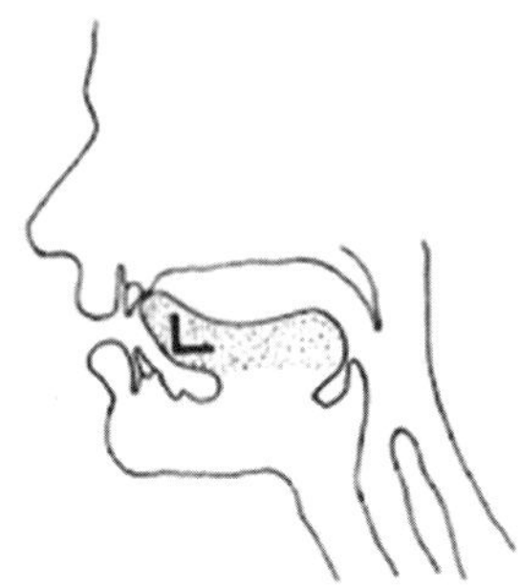

[ㄴ > ㄷ > ㅌ, ㄸ, ㄹ]

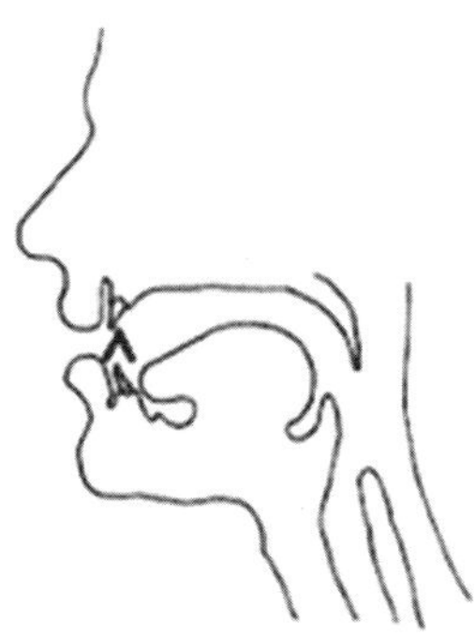

[ㅅ > ㅈ, ㅆ > ㅊ]

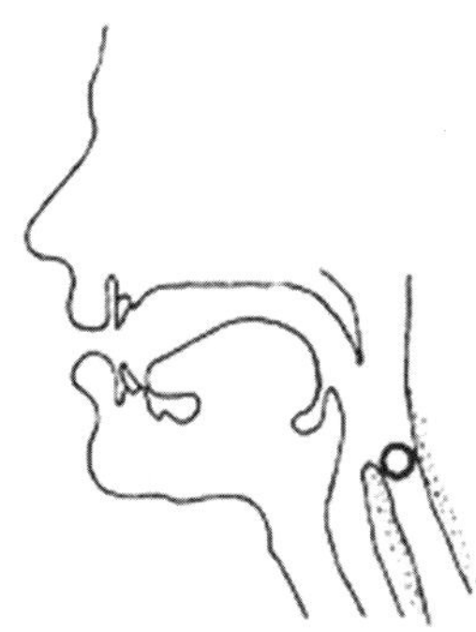

[ㅇ > ㅎ]

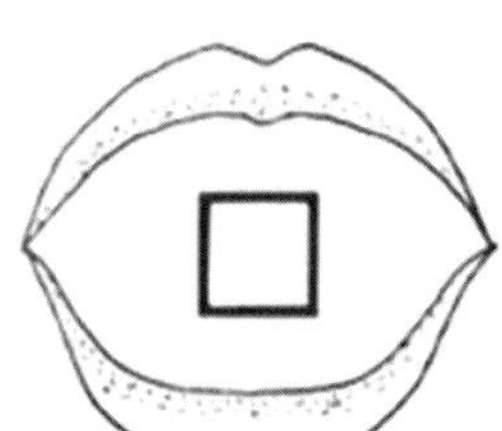

[ㅁ > ㅂ, ㅍ > ㅃ]

앞서 문자 발달단계에서 우리는 한글을 마지막 단계의 조합형 문자라고 언급한 바 있다. 즉 앞서 본 것처럼 한글은 기본글자가 있고 여기에 획을 더해 조합해 가는 방식으로 다른 글자를 만든다. 이러한 조합성은 자음에서도 잘 나타나지만 특히 모음에서 두드러진다. 즉 모음은 기본적으로 하늘(天), 땅(地), 사람(人)을 뜻하는 [·, ㅡ, ㅣ]의 세 개의 기본글자로 구성되어 있고, 이 기본자를 가지고 수많은 모음자를 만들어 낸다. 요즘 핸드폰에 천지인(天地人) 한글이라는 체제가 바로 한글 창제의 원리를 따른 것이다. 사용자의 입장에서 볼 때 조합형 문자의 장점은 배우기 쉽고, 읽고 쓰기가 쉽다는 것이다. 한글 덕분에 우리나라는 지구상에서 문맹률이 가장 낮은 나라가 되었다.

이와 같은 한글의 우수성을 알파벳과 비교해 보면 다음과 같다. 우선 알파벳의 글자모양도 사물의 모양을 본뜬 것인데 여기에는 특별한 원칙이 없다. 예를 들면 [A]는 황소의 머리를 본뜬 것이고 [B]는 집의 모양을 본뜬 것이다.

알파벳의 기원인 페니키아어에서 '황소'라는 말의 첫 음이 [A/아]이고 '집'이라는 말의 첫 음이 [B/ㅂ]인 데서 연유한 것이다. 그러니까 [아]라는 소리를 나타내는 글자를 어떻게 만들까 고민하다가 황소의 머리를 생각해 낸 것이다.

알파벳은 조합성이 전혀 없는 문자이다. 26개의 글자, 대문자/소문자를 구분하면 52개의 글자가 전혀 연관성이 없다. 가령 [B–P, D–T, G–K] 등은 각각 같은 계열의 소리인데도 문자에서 그 유사성을 전혀 반영하지 못하고 있다. 여기에 대문자 소문자를 생각하면 알파벳의 무체계성은 더욱 분명해진다 : [B–b–P–p, D–d–T–t, G–g–K–k]. 조합성이 없다는 것은 사용자/학습자의 입장에서 볼 때 모든 글자를 일일이 외워야 한다는 뜻이다. 한글에 비해 알파벳이 그만큼 배우기 어려운 문자인 것이다. 알파벳의 대문자와 소문자 사이에는 연관성이 없는 것은 아니겠지만 일반 사용자나 학습자가 이 연관성을 파악하기 쉽지 않기 때문에 대부분 대문자와 소문자를 따로 배워야 한다.

터키와 베트남의 문자혁명

문자는 언어 자체는 아니며 언어를 가시적으로 표현하는 수단일 뿐이다. 따라서 문자는 필요에 따라 바꾸어 버릴 수도 있다. 우리나라의 경우 세종대왕이전에는 글자가 한자 밖에 없었다. 세종 이후에도 조선시대의 공식문서는 모두 한자로 작성되었다. 지금부터 50년 전만 하더라도 우리나라의 공식문서는 물론 일간신문들이 한자와 한글을 섞어서 사용하였는데 요즈음은 공문서나 신문에서 거의 한자를 찾아 볼 수 없다. 지구상에는 공용문자를 완전히 다른 문자로 교체하여 문자혁명을 단행한 나라도 있다. 터키와 베트남이 그 예이다.

터키의 문자혁명: 터키는 대표적인 이슬람 국가로서 원래 아랍지역을 중심으로 한 회교권에서 쓰고 있는 아랍문자를 채택하여 사용하였다. 그러나 아랍문자는 터키어의 소리체계에 맞지 않았다. 즉 아랍문자는 자음으로만 구성되어 있으며 모음은 읽는 사람이 짐작해서 이해해야 한다. 모음이 세 개밖에 없는 아랍어에서는 이런 방식이 가능했다. 그러나 터키어는 아랍어와 완전히 계통이 다른 언어로서 모음이 8개나 되기 때문에 앞뒤 자음만 가지고 모음을 짐작해서 읽기는 불가능한 언어이다. 터키 정부는 이를 보완하기 위해 하레케(Hareke)라고 부르는 여러 가지 특수기호를 덧붙여 사용해 보기도 했다. 그러나 이는 문자에 대한 학습을 더 어렵게 만들어서 글을 읽고 쓸 줄 아는 인구의 비율이 매우 낮았다. 이러한 상황에서 터키는 수십년의 논의와 진통을 거듭한 끝에, 1928년 터키 공화국 초대 대통령 무스타파 케말 아타튀르크가 마침내 문자개혁을 단행하여 당시까지 사용하던 아랍문자를 폐지하고 대신 로마문자(알파벳)을 공식 문자로 채택하였다. 이 문자 혁명이후 터키는 국민의 문자 해독률이 현저히 상승했으며 성공적인 문자혁명으로 평가받고 있다.

کردستان

۱۳۱۵

بسم الله الرحمن الرحيم

문자개혁 이전 터키의 아랍문자 문서

Laure Carline "milyon" lâfını duyunca olduğu yere çökerken hıçkırıklarını tutamıyordu. Büyük miktarda para ödeyeceklerini düşünen kadın turist Laure Carline ile Andre Michel, cezanın 201 Euro'ya denk geldiğini duyunca rahat bir nefes aldı.

Milyonluk ceza turisti ağlattı

Ancak Türk parasının değerini öğrenince sevince boğuldu

► Alanya'ya tatile gelen Fransız Andre Michel, sevgilisi Laure Carline ve kız arkadaşları Tatiana Lampernesse ile cip kiralayarak safari turuna çıktı. Michel'in kullandığı cipin korkuluklarına tutunmadan araçtan sarkıp, şakalar yapan Tatiana Lampernesse, araç yoldaki kasislere hızlı girince dengesini kaybedip yere düştü. Vücudunda ezikler ve yaralar oluşan Lampernesse, hastanede tedaviye alındı. Andre Michel, tehlikeli araç kullandığı gerekçesiyle adliyeye sevk edildi.

► Savcılık, Michel'in tehlikeli araç kullandığı ve yaralamalı kazaya neden olduğu gerekçesiyle 346 milyon trafik cezası ödemesine karar verdi. Michel'in sevgilisi Laure Carline, 'milyon' kelimesini duyunca olduğu yere çöktü ve hüngür hüngür ağlamaya başladı. 346 milyonun çok büyük bir rakam olduğunu düşünen Carline, jandarmanın ödenecek paranın 201 Euro'ya denk geldiğini anlatmasıyla yatıştı. Genç kız "Paranızın bu kadar değersiz olduğunu bilmiyordum" dedi.

문자개혁 이후 터키의 로마자 신문

베트남의 문자혁명: 베트남은 다른 많은 아시아 국가들과 마찬가지로 오래 전부터 한자를 기본으로 하는 문자생활을 해 왔다. 8세기부터 베트남어를 적기 위한 베트남식 한자 '자남(字喃; 쯔놈 = 베트남 문자라는 뜻)'을 만들어 사용하기도 했다. 그러다가 19세기 말에 당시 베트남을 식민 통치하고 있던 프랑스 정부가 알파벳 사용을 추진하였고, 이를 '꾸옥으(國語; 국어)'라고 불렀다. 베트남의 민족주의 진영은 식민지배에 저항하면서, '자남(쯔놈)' 문자로 계속 문학작품 등을 발표하며 '꾸옥으(알파벳)' 사용에 반대하였다. 그러나 베트남은 1900년대 초에 다수의 교육을 위해서는 '꾸옥으'가 용이함을 인정하고, 이를 전국으로 보급하였다. 현재 '꾸옥으'는 공용 문자로 자리 잡고 있으며 베트남 국민의 문자 해독률을 높이는 데 크게 기여하였다.

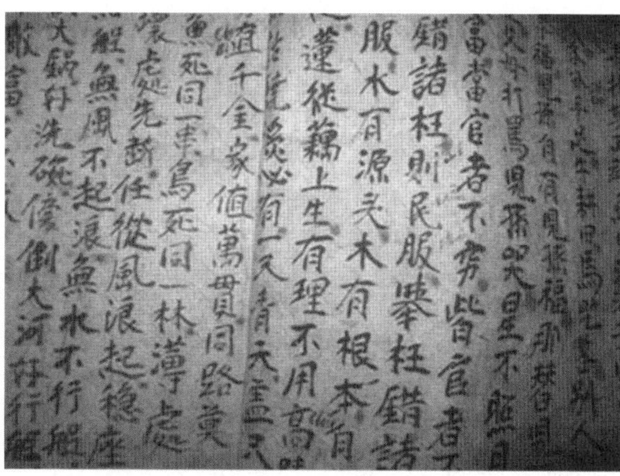

문자개혁 이전 베트남의 한자 문서

문자개혁 이후 베트남의 로마자 간판

국어의 로마자 표기

한국어 로마자 표기란 한국어를 알파벳으로 적는 것을 말한다. 여권을 만들 때 한국 이름을 영어(알파벳)로 쓰는 것이 그것이다. 영어가 세계어가 되어 있고 알파벳이 세계 공용 문자가 되어 있는 상황에서 로마자 표기는 피할 수 없는 일이다. 그러나 한국어를 알파벳으로 적는다는 것은 간단한 문제가 아니다. 알파벳이 한국어를 표기하기에 적절한 문자가 아니기 때문이다. 즉 각 언어마다 고유한 소리체계가 있는데 한국어의 소리 가운데는 알파벳으로 표기하기가 어려운 것이 많다.

예를 들면 알파벳에는 [a, e, i, o, u] 등 5개의 모음자가 있는데 이것으로는 한국어의 [으, 어]를 정확하게 표기할 방법이 없고 [아, 애]를 구분할 방법도 없다. 또 알파벳에는 파열음 계통의 소리를 적기 위해 [b–p, d–t, g–k]와 같이 두 개의 글자가 있는데, 한국어에는 [ㅂ–ㅍ–ㅃ, ㄷ–ㅌ–ㄸ, ㄱ–ㅋ–ㄲ]과 같이 이 계열에 세 개가 있어서 이들을 알파벳으로 정확히 표기하기도 불가능하다. [ㅅ, ㅆ]도 마찬가지이다.

이러한 현상은 유럽 언어에서도 나타난다. 예를 들면 영어에 [ʃ, tʃ, θ]와 같은 소리가 있는데 알파벳 26자 가운데는 이 소리들을 표기할 수 있는 글자가 없다. 그래서 영어에서는 두 개의 글자를 겹쳐서 [sh, ch, th]와 같이 쓴다. 또 독일어에서는 [ä, ö, ü]와 같이 모음 위에 점 두 개를 찍어서 독일어의 특수한 모음을 표기한다. 즉 영어와 독일어에서도 로마 사람들이 쓰던 문자를 보완해서 사용하고 있는 것이다.

(3) 로마문자를 보완해서 사용하는 예

영어: she, church, this,

독어: ändern('change'), hören('hear'), über('over')

유럽 국가들은 자기 언어의 소리 체계에 맞지 않는 로마문자를 1000년 이상 사용해 오면서 보완하고 수정하여 오늘에 이르고 있다. 그러나 우리나라의 상황은 이와 아주 다르다. 즉 우리는 한글과 한자 중심으로 문자생활을 해 오다가 해방 이후에야 로마자 표기에 대한 필요성을 느끼고 1948년에 처음으로 로마자 표기법을 제정하였다. 이후 1959년, 1984년, 2000년 세 차례에 걸쳐 이를 개정하였다. 이는 한국어를 알파벳으로 적는다는 것이 얼마나 어려운가를 잘 말해 준다.

예를 들면 '조경철'이라는 이름을 알파벳으로 써 보라고 하면 아마 방법이 10가지가 넘을 것이다. '광주'를 옛날에는 *Kwangju*로 적었는데 현행 표기법에서는 *Gwangju*로 쓴다. 지금도 전남대학교의 공식명칭에서는 '전남'을 *Chonnam*으로 적고 있는데 전라남도에서는 이를 *Jeonnam*이라고 쓴다. 한국사람은 *Chonnam*과 *Jeonnam*을 같은 지명으로 인식하겠지만 한국을 잘 모르는 외국인은 당연히 이를 다른 지명으로 인식할 것이다. 이 모든 혼란은 알파벳이 한국어의 소리체계를 표기하기에 적합하지 않다는 데에 원인이 있다. 전문가들 사이에서도 의견이 일치하지 않기 때문에 50년 사이에 로마자 표기법이 세 번이나 바뀐 것이다.

이와 관련해서 한국 사람들이 궁금해 하는 것이 있다. 왜 '김'씨 성은 *Gim*이라고 안 쓰고 *Kim*이라고 쓸까? 또 '광주'는 *Gwangju*라고 쓰면 될 텐데 왜 과거에는 *Kwangju*라고 썼다가 다시 *Gwangju*로 바꾸었을까? 또 [ㄱ–ㅋ–ㄲ]은 그냥 [g–k–gg]로 써 버리면 간단할 텐데 뭐가 복잡하다는 것일까? 문제는 우리가 '김'이라고 발음하고 서양 사람들에게 알파벳으로 써 보라고 하면 모두 *Gim*이라고 안 쓰고 *Kim*이라고 쓴다는 데 있다. '광주'와 '전남'도 서양 사람들에게 써 보라고 하면 *Kwangju*/*Chonnam*으로 쓴다. 자기들의 귀에는 그렇게 들리기 때문이다. 그런데 이것이 우리들의 소리 감각과는 맞지 않는다. 이러한 점들이 로마자 표기법에서 항상 논란거리가 된 것이다.

이러한 이유 때문에 50년 동안 갈팡질팡 하다가 결국 2000년에 [표 1]과 같이 현행 로마자 표기법으로 개정하여 시행하고 있다. 이 개정안에서는 '국민'을 *Gungmin*으로 적는다. 고유명사는 이 표기법을 따르지 않고 과거에 써

오던 대로 써도 된다. 고유명사를 바꾸어 버리면 엄청난 혼란이 야기될 것이기 때문이다. 예를 들면 '김'씨와 '이'씨 성을 가진 사람은 대부분 여권을 바꾸어야 할 것이다.

[표 1] 국어 로마자 표기법(2000년 개정안)

1) 모음 표기법

단모음[4)]

ㅏ	ㅓ	ㅗ	ㅜ	ㅡ	ㅣ	ㅐ	ㅔ	ㅚ	ㅟ
a	eo	o	u	eu	i	ae	e	oe	wi

이중 모음

ㅑ	ㅕ	ㅛ	ㅠ	ㅒ	ㅖ	ㅘ	ㅙ	ㅝ	ㅞ	ㅢ
ya	yeo	yo	yu	yae	ye	wa	wae	wo	we	ui

2) 자음 표기법

파열음

ㄱ	ㄲ	ㅋ	ㄷ	ㄸ	ㅌ	ㅂ	ㅃ	ㅍ
g, k	kk	k	d, t	tt	t	b, p	pp	p

파찰음

ㅈ	ㅉ	ㅊ
j	jj	ch

마찰음

ㅅ	ㅆ	ㅎ
s	ss	h

비음

ㄴ	ㅁ	ㅇ
n	m	ng

유음

ㄹ
r, l

4) 단모음은 발음하는 도중 혀나 입술의 모양이 변하지 않는 모음을 말한다.

외래어 표기법

다른 언어에서 들어와 국어화한 어휘들을 외래어라 하는데, 외래어도 국어에 속한다. 현재도 외래어는 끊임없이 우리 언어에 유입되고 있다. 외래어는 현용 24개의 한글 자모만으로 적어야 한다. 외국어에 있는 음(소리)이 국어에는 없는 경우가 많다. 예컨대, 영어의 [f], [v] 등은 국어에 없는 소리이다. 이 소리를 제대로 한글로 적기엔 문제가 있지만 이들을 표기하기 위해 따로 특수 기호나 문자를 만들지 않는다.

외래어의 받침을 적을 때는 'ㄱ, ㄴ, ㄹ, ㅁ, ㅂ, ㅅ, ㅇ'만을 사용한다. 바꾸어 말하면, 외래어의 받침에는 'ㄷ, ㅈ, ㅊ, ㅌ, ㅍ, ㅋ, ㅎ' 등을 써서는 안 된다. 파열음 표기에는 된소리를 쓰지 않는다. 예컨대 영어의 *bag, band, bus*에서 유래한 외래어는 [빽], [뺀드], [뻐스]로 발음되더라도, '백', '밴드', '버스'로 표기하도록 한 것이다. *café*는 [까페]로 발음되지만 '카페'로, '東京'은 [도꾜]처럼 발음되지만 '도쿄'로 적는다. 빨치산, 빵, 껌 등 오랫동안 쓰여 이미 굳어진 낱말들은 예외로 한다.

이밖에도 이미 굳어진 외래어는 관용을 존중하여 그대로 적는다. 카메라(camera[캐머러]), 라디오(radio[레이디오]) 등이 그 예이다. 한편, 동양의 인명과 지명의 표기에서 한자음대로 읽는 관용을 허용하여, '東京'은 '동경'과 '도쿄'로, '上海'는 '상해'와 '상하이'로, '臺灣'은 '대만'과 '타이완'으로, '黃河'는 '황하'와 '황허' 등처럼 적을 수 있다.

토론해 보기

- 한글의 우수성에 대해 이야기 해 보자.
- 일본에서 한글을 공용문자로 사용하면 안 될까?
- 세종대왕이 국어를 만들었을까?
- 국어를 알파벳으로 쓸 때 어떠한 문제가 있는지 토론해 보자.

쉬어가기

빛은 동방에서

유럽 사람들은 흔히 그리스 문명과 그 이전 문명의 연결고리를 부정하려고 한다. 유럽문명이 아시아와 아프리카에서 유래했다는 사실을 인정하고 싶지 않기 때문이다. 유럽의 우월한 문명은 미개한 아시아나 아프리카 문명의 영향을 받지 않고 독자적으로 발달한 것이라는 뜻이다. 그래서 그들은 세계사를 기록할 때 그리스·로마에서부터 시작한다. 유럽 학자들이 세계사를 고대, 중세, 현대로 나눌 때 고대는 그리스·로마의 이야기이다.

그러나 유럽 문명의 시작이라고 하는 그리스 문명이 지중해를 중심으로 이집트나 메소포타미아 지역의 문명과 교류하면서 발달했으리라는 것은 당연한 것이며 지금 유럽 사람들이 쓰고 있는 문자를 보면 이러한 점이 잘 드러난다. 즉 현재 지구상에서 가장 널리 쓰이고 있는 문자는 알파벳(A, B, C, D)인데 이는 고대 오리엔트 지역의 페니키아인들의 문자에서 유래했으며 전 세계가 쓰고 있는 아라비아 숫자 '1, 2, 3, 4, 5, ...' 역시 아랍 지역, 즉 오리엔트 지역에서 유래한 것이다. '알파벳'이라는 말은 '알파'와 '베타'를 합한 말인데 '알파'는 페니키아어의 '황소'라는 말에서 유래한 것이고 '베타'는 페니키아어의 '집'이라는 말에서 유래한 것이다. 문자는 문명의 아주 중요한 요소라는 점을 감안할 때 오리엔트의 문자가 그리스로 흘러 들어갔다는 것은 곧 오리엔트 문명이 그리스로 흘러 들어갔다는 뜻이다.

페니키아는 지금의 이스라엘 북부와 시리아 지역에 걸쳐 형성된 고대국가로 한 때 지중해 지역을 장악한 나라이다. 신약성경에 나오는 '베니게'라는 지명이 바로 이 페니키아를 말한다. 로마의 간담을 서늘케 했던 명장 하니발 장군의 카르타고가 바로 이 페니키아인들이 아프리카 북부(오늘날 튀니지 지역)에 세운 나라이다. 그리스에 이어 역사무대에 강자로 등장한 로마(유럽 세력)에 끝까지 저항했던 오리엔트(동양)의 강자라고 볼 수 있다.

세계의 언어

지구상에는 6,000개 이상의 언어가 있는 것으로 추정된다. 이중에는 수억 명이 사용하는 언어가 있는가 하면, 어떤 언어들은 사용자가 수백 명 혹은 수십 명 밖에 안 되어서 사라질 위기에 있는 경우도 있다. 세계의 다양한 언어들은 유사점도 있고 차이점도 있다. 19세기에는 진화론의 영향으로 유사한 언어들이 원래 한 뿌리에서 나왔을 것이라고 가정하고 이에 따라 지구상의 언어를 분류하기도 했다. 20세기 들어서는 진화론적인 관점과는 관계없이 인간 언어를 폭넓게 관찰하고 유형화하는 작업이 활발하게 진행되었다. 예를 들면 주어(S), 동사(V), 목적어(O)를 중심으로 어순을 비교해 보면 지구상에는 세 가지 유형의 언어가 있다: SVO형, SOV형, VSO형.

사용자 수에 따른 언어상황

사용자 수는 중국어가 가장 많고 영어는 세 번째이며 한국어는 14위이다. 사용자 수에 따른 상위 20개 언어는 [표 2]와 같다. 중국어는 북경 방언이자 중국의 표준어인 *Mandarin Chinese*와[5] 다른 지방의 방언, 그리고 표준 중국어와 차이가 많아 별개의 언어로 간주하기도 하는 남쪽의 광동어(Cantonese)까지 포함한 것이다. 스페인어와 포르투갈어는 해당 국가 이외에 과거 식민지 시대의 유산으로 남미 지역에서 광범위하게 사용되고 있다. 인도에서는 무려 1,600여 종의 언어가 사용되고 있는 것으로 알려져 있는데, 이 중 몇 개의 언어는 사용자가 많다. [표 2]의 힌디어, 텔루구어, 타밀어, 마라타어 그리고 우

5) *Mandarin*이라는 말은 포르투갈어에서 유래한 것으로 관료, 관공서라는 뜻이며 관공서에서 쓰는 말, 즉 표준어를 의미하기도 한다. 언어학에서는 보통 이를 표준 중국어라는 뜻으로 사용한다.

루두어는 인도의 15개 공용어들 중 일부이다. 란다어는 파키스탄에서 사용되는 언어이다. 뱅골어는 방글라데시의 공용어이고, 자바어는 인도네시아의 언어이다. 7,200만 정도가 사용하는 한국어는 14위에 해당한다.

순위	언어명	사용자 수 (백만)	순위	언어명	사용자 수 (백만)
1	중국어	1197	11	독일어	83
2	스페인어	406	12	란다어	82
3	영어	335	13	텔루구어	74
4	힌디어	260	**14**	**한국어**	**72**
5	아랍어	223	15	마라타어	71
6	포르투갈어	202	16	타밀어	68
7	뱅골어	193	17	프랑스어	68
8	러시아어	162	18	베트남어	67
9	일본어	122	19	우루두어	63
10	자바어	84	20	이탈리아어	61

[표 2: 사용자 상위 20위 언어](www.ethnologue.com)

이와 같이 많은 사람들이 사용하는 언어가 있는가 하면, 전 세계 6,000여 개의 언어 중에서 사용자가 몇 십 명밖에 되지 않아 사라질 위기에 있는 소수 언어들도 많다. 통계에 따르면 사용자가 세계 인구의 4%에 못 미치는 언어가 전 세계 언어의 96%에 해당한다. 역사적으로 보면 많은 언어들이 지구상에서 사라졌다. 이들을 사어(死語; dead language)라고 하는데 여기에는 소수 언어들뿐만 아니라, 한 때 전 유럽을 지배했던 라틴어와 같은 언어도 포함된다. 호주에는 원래 250여 가지의 원주민 언어가 있었는데 그 동안 거의 사라지고 현재 500명 이상이 사용하는 언어는 18개 언어뿐이다. 북아메리카 대륙에서는 3백여 종의 원주민 언어가 있었던 것으로 추정되는데, 1962년 조사에서 79종의 원주민 언어가 확인되었고, 그나마 사용자들은 대부분 50세를 넘긴 나이였다. 21세기에는 세계 언어의 절반이 사라질 것이라는 전망이다.

친족관계에 따른 분류

18세기 말 인도 벵골에서 근무하던 영국인 법관 William Jones(윌리엄 존스)는 그리스어와 라틴어 그리고 인도의 산스크리트어에도 관심이 많았는데, 유럽과 인도라는 지역적 차이에도 불구하고 세 언어가 매우 유사하다는 데에 주목하였다.[6] 세 언어 사이에 나타난 유사점의 예를 들면 (1)과 같다(제1장 도표 (3) 참조).

(1) 그리스어, 라틴어, 산스크리트어 유사점의 예(김종현, 2009: 434)

그리스어	라틴어	산스크리트어	영어
phrater	frater	bhratar	brother
pater	pater	pitar	father
treis	tres	trayas	three

이와 같은 관찰을 바탕으로 Jones는 이 세 언어가 같은 뿌리에서 나왔을 것이라는 생각에 이르게 되었고 이후 19세기 100년 동안 유럽의 언어연구는 이 뿌리 찾기에 몰두했다. 이들은 지구상의 언어를 지역과 유사성에 따라 몇 개의 그룹으로 나누고 이 개별 그룹의 언어들이 한 뿌리에서 나왔을 것이라고 가정한다. 이 때 이 가상의 뿌리 언어를 조어(祖語; parent language)라고 부르고 이 뿌리에서 나왔다고 추정되는 유사한 언어들을 자어(子語; daughter language)라고 한다. 또 이 자어들은 친족관계에 있다고 하고 이들 언어 그룹을 어족(語族; language family)이라고 부른다.

이 분류에 따르면 위에서 말한 그리스어, 라틴어, 산스크리트어는 다른 유럽 언어들과 함께 인도–유럽어족에 속한다. 한국어는 보통 알타이어족으로 분류한다. 중앙아시아의 우랄 산맥과 알타이 산맥을 따라 발달한 것으로 보이는 언어들을 우랄–알타이어라고 하는데 이는 다시 우랄어와 알타이어

6) 이에 대한 자세한 것은 제1장의 '역사·비교언어학' 편 참조

로 구분한다. 알타이어족은 아시아의 서쪽부터 동쪽에 이르는 지역에서 사용되는 투르크계 언어(터키어 등), 몽골계 언어(몽골어 등), 퉁구스계 언어(만주어 등)를 아우르고 있다. 지구상의 언어를 30여 개의 어족으로 분류하는데 주요 어족과 해당 언어들은 (2)와 같다.

(2) 주요 어족과 해당 언어

a. 함–셈어족 / 아프리카–아시아어족 : 아랍어, 히브리어, 이집트어

b. 중국–티벳어족 : 중국어, 티벳어, 베트남어

c. 우랄어족 / 핀–우랄어족 : 헝가리어, 핀란드어

d. 나이제르–콩고어족 : 스와힐리어, 줄루어

e. 알타이어족 : 몽고어, 만주어, 터키어(한국어, 일본어)

f. 인도유럽어족

게르만어 : 영어, 네덜란드어, 독일어, 덴마크어, 스웨덴어, 노르웨이어

로망스어: 프랑스어, 이탈리아어, 스페인어, 포르투갈어, 루마니아어

슬라브어 : 러시아어, 폴란드어, 체코어, 크로아티아어, 불가리아어

인도 · 이란어 : 힌디어, 벵갈어, 펀자브어, 우르두어

쉬어가기

산스크리트어의 수수께끼

위에서 말한 대로 언어의 뿌리 찾기 연구와 친족관계에 따른 분류는 William Jones의 산스크리트어(고대 인도어) 발견에서 촉발되었다. 지리적으로 너무나 많이 떨어져 있는 유럽어와 인도어 사이에 유사점이 발견되었다는 것은 그 당시 사람들을 흥분시키기에 충분했을 것이다. 그러나 조금 깊이 생각해 보면 산스크리트어가 유럽 언어와 유사점이 있다는 것은 크게 놀랄 일이 아니다.

인도에는 크게 두 가지 인종이 있다. 한 쪽은 북방계이고 다른 한 쪽은 남방계이다. 이들은 언어는 물론 생김새도 완전히 다르다. 이 가운데 북방계가 지배 계층인데 우리는 보통 인도 사람하면 이 사람들을 머리 속에 떠올린다. 이들의 모습은 피부색이 까무잡잡한 것 말고는 유럽 사람들과 거의 차이가 없다. 소위 아리안 족인데 이들은 원래 인도의 토착민이 아니며 유럽 쪽에서 건너온 침입자들이다. 이 침입자들의 언어가 바로 산스크리트어인데 이들이 지배 계층이 되었기 때문에 산스크리트어를 고대 인도어라고 한 것이고 이것이 유럽 언어들과 유사하다는 것은 어떻게 보면 당연한 것이다.

아리안 족이 침입하기 전에 인도 지역에 거주하고 있던 토착민들은 코가 낮고 눈이 작은 아시아 족이었으며 이들이 바로 지금 인도 남부에 살고 있는 남방계의 드라비다 족이다. 드라비다 족의 언어는 한국어와 가까운 아시아 계통의 언어이다. 그러니까 유럽의 아리안 족이 침입하기 이전의 인도어, 즉 산스크리트어보다 이전의 인도어는 드라비다어이고 이 언어는 유럽 언어와 아무런 관계가 없다. 이는 오히려 한국어와 유사하다. 유럽의 침입자들이 지배 계층이 되어 주인 행세를 하면서 자기들의 언어가 인도어라고 주장하고 있는 것이지 이것이 원래 인도어는 아닌 것이다.

언어의 유형

언어들 사이의 친족관계를 고려하지 않고 단순히 언어의 구조적 유사성에 기초하여 언어를 분류할 수도 있다. 지구상의 언어들을 조사해 보면 거기에는 일정한 패턴 혹은 유형이 있음을 알 수 있는데 이 단원은 이러한 언어의 유형에 대해 몇 가지 살펴보고자 한다.

어형변화에 따른 언어유형

낱말은 사전에 등재되는 기본형태가 있고 문장 가운데 들어가면 형태가 변하는 일이 많다. 이를 어형변화라고 하는데 이와 관련해서 우리는 세계의 언어를 '고립어', '굴절어', '첨가어'로 구분한다. 언어의 기본단위는 문장이고 문장은 크게 명사와 동사로 이루어진다. 나머지 품사들은 이 두 가지 품사를 보조해서 문장을 더 정밀하게 다듬는 기능을 한다. 어형변화란 크게 명사를 중심으로 한 변화와 동사(술어) 변화가 있다. 명사변화는 격변화를 말하며 동사변화란 주어의 인칭과 시제 등에 따른 동사형태의 변화를 말한다.

'고립어'는 이와 같은 어형변화가 전혀 없는 언어를 말하며 중국어가 대표적인 예이다. 아래 중국어 문장에서 '我, 他'는 대명사인데 주어로 쓰이든 목적어로 쓰이든 아무런 변화가 없다. 대명사뿐만 아니라 중국어의 명사들도 마찬가지이다. 또 다음 예문에서 동사 '見面, 去'는 현재, 과거, 미래시제에 관계없이 똑같은 형태로 쓰인다. (3a)에서는 '昨天'이라는 말 때문에 과거시제라는 것을 알 수 있으나, (3b)는 이러한 시간부사가 없기 때문에 상황에 따라 현재, 과거, 미래를 모두 나타낼 수 있다.

(3) 중국어와 영어의 비교

a. 昨天 我 跟他 見面

yesterday I with him meet

'I met him yesterday.'

b. 他　去　上海

he　go　Shanghai

'He goes / went / will go / to Shanghai.'

'굴절어'는 명사나 대명사의 격과 동사의 시제 등이 어형변화를 통해 표현되는 언어로서 유럽언어들이 대개 여기에 속한다. 아래 (4)는 독일어의 예문이다. 명사의 격에 따라 관사와 형용사가 어형변화를 하고 있으며 주어의 인칭과 시제에 따라 동사가 변화하고 있다. 영어는 원래 독일어와 가까운 언어였는데 중세영어 시기부터 굴절형태들이 조금씩 사라졌으며 현대 영어는 고립어에 가까울 정도로 어형변화가 없는 상태이다.

(4) 독일어와 영어의 비교

D–er	gross–e	Mann	lieb–t	d–ie	schön–e	Frau
The–E	tall–E	man	love–E	the–E	pretty–E	woman.

'The tall man loves the pretty woman. (E = ending, 어미)'

언어에 따라 명사 자체가 많은 어미변화를 하는 경우도 있는데 라틴어가 대표적인 예이다. (5)는 격에 따른 라틴어 명사변화의 예이다.

(5) 라틴어 명사 *dominus* '주인' / *domina* '여주인'의 격변화

1	*dominus*	*domina*	nominative (주격)
2	*domine*	*domina*	vocative (호격)
3	*dominum*	*dominam*	accusative (목적격)
4	*domini*	*dominae*	genitive (소유격)
5	*domino*	*dominae*	dative (여격)
6	*domino*	*domina*	ablative (탈격)

'첨가어'란 명사의 격이나 동사의 여러 가지 기능이 일정한 형태를 통해 나타나기는 하지만 그 양상이 굴절어와는 약간 다르다. 즉 굴절어의 어형변화는 기본 형태를 약간 바꾸는 형식이라면 첨가어는 이 기본 형태에 무엇인가를 첨가하는 형식이라고 할 수 있다. 첨가어를 교착어라고도 하는데 이 역시 '붙이다'는 뜻이다. 한국어나 일본어가 대표적인 첨가어이다. 예를 들면 아래 예문에서 명사에 '께서, 를' 등을 덧붙여서 주어인지 목적어인지를 표시하고 있다. 이 조사들은 위 독일어의 어미들과는 차이가 있다. 즉 한국어에서는 조사를 별도의 단어로 취급한다. 명사에 조사를 덧붙인 꼴이다. 동사 '떠나다'에 '시-었-겠-습니-까' 등 5개의 어미가 붙어 있는데, 이 어미들은 동사의 변화형이라기보다는 동사에 다양한 기능형태들이 덧붙여진 것으로 보아야 한다. 한국어 동사에 덧붙일 수 있는 어미는 이밖에도 수없이 많다. 이 모든 것들이 동사에 덧붙여진 문법요소들이며, 이러한 현상이 첨가어의 특징이다. 한국어의 경우 문법현상의 대부분이 조사와 어미에 집중되어 있다.

(6) a. 아버지께서 집을 떠나-시-었-겠-습니-까?
b. 떠나 + /-고/-니/-며/-면/-서/-면서/-므로/-라고, ……

어순의 유형

1) 기본어순의 유형: 주어(S), 동사(V), 목적어(O)의 어순

주어(S), 동사(V), 목적어(O)의 어순을 기본어순이라고 하며 이 세 가지 요소를 가지고 보면 지구상에는 (7)과 같이 세 가지 유형의 언어가 관찰된다. 유럽 언어들은 주로 SVO 어순에 속하고, 한국어와 일본어 등은 SOV 어순이며, 아랍어 계통은 VSO 어순을 취한다. (8)은 아랍어 VSO 어순의 예이다.

(7) 기본어순의 유형

SOV : 한국어, 일본어 등

SVO : 영어, 중국어 등
VSO : 웨일즈어, 아랍어 등

(8) 아랍어 VSO 어순의 예

dakhala	ʔl–waladu	ʔl–ghurfata
enter	the boy	the room

'The boy enter the room.'

2) 자유어순과 고정어순, 술어의 위치, 격표시 방법

지구상의 언어 가운데는 어순이 자유로운 언어가 있고 어순이 자유롭지 못한 언어가 있다. 하나의 문장은 기본적으로 하나의 동사(술어)와 하나 이상의 명사로 이루어져 있는데 동사의 위치는 대개 고정되어 있다. 한국어는 동사가 문장 끝에 오고 영어는 주어 다음에 온다. 어순이 자유롭다는 말은 따라서 명사들의 위치가 자유롭게 변할 수 있다는 뜻인데 이는 명사의 기능표시, 즉 격표시 방법과 밀접한 연관이 있다. 예를 들면, 한국어는 조사가 명사에 붙어서 그 명사가 주어인지 목적어인지 등을 쉽게 알 수 있기 때문에 명사의 위치가 자유롭다. 반대로 영어는 어순을 보고 주어와 목적어를 인식하기 때문에 어순을 함부로 바꾸면 안 된다.

3) 핵어 전치형 언어 · 핵어 후치형 언어, 전치사형 언어 · 후치사형 언어

이러한 주어, 동사, 목적어의 기본어순은 다른 문장 요소들 사이의 순서와도 상관이 있다. 언어의 구조를 보면 문법적으로 중요한 말이 있고, 그에 딸린 말(보충어)이 있다. 이때 중요한 말을 핵어(head)라고 한다. 문장의 핵어는 동사이고, 전치사구에서는 전치사가 핵어이며, 종속절에서 접속어가 핵어이다. 핵어의 위치와 관련해서 보면 지구상에는 핵어 전치형(head–initial) 언어가 있고 핵어 후치형(head–final) 언어가 있다. 영어는 핵어 전치형 언어이고 한국어는 핵어 후치형 언어이다. 이 두 언어를 비교하면 (9)과 같다. (9)에서 핵어는 ①로 표시되어 있고 딸린 말(보충어)은 ②로 표시되어 있다.

(9) 핵어 전치형 언어와 핵어 후치형 언어

a. John met *Mary*. – 철수가 영희를 *만났다*.[7]
    ① ② ② ①

b. to *school*. – *학교* 에
    ① ② ② ①

c. because he was *ill* – 철수가 *아파* 서
    ① ② ② ①

이에 따라 우리는 한 언어의 동사의 위치를 보면 다른 어순도 예측할 수가 있다. 즉 동사 위치가 영어와 같으면 다른 어순도 영어와 같을 것이고 동사의 위치가 한국어와 같으면 다른 어순도 한국어와 같을 것이다. 예를 들면 중국어는 SVO 언어로서 동사의 위치가 영어와 같다. 그렇다면 우리는 중국어에 전치사가 발달해 있을 것이고, 종속접속사가 문장 앞에 올 것이라고 예측할 수 있다. 예문 (10)은 이 예측이 맞았음을 보여준다. 핵어 전치형과 핵어 후치형 언어를 우리는 보다 쉬운 개념으로 전치사형 언어와 후치사형(조사) 언어라고 부를 수도 있겠다. 이 지구상에는 영어와 같이 전치사가 발달한 언어도 있고 한국어와 같이 조사(후치사)가 발달한 언어도 있다는 것이다.

(10) 중국어 전치사와 종속접속 표현의 위치

a. 他 到 圖書館 去了.
   he to library went
   'He went to the library.'

b. 如果 明天 下雨,
   if tomorrow rain
   'if it rains tomorrow'

7) 문장의 핵어 위치를 논할 때는 주어의 위치는 고려하지 않는다.

4) 동사와 목적어, 부사의 위치

영어와 한국어의 어순을 비교해 보면 동사와 목적어, 부사의 위치도 매우 흥미로운데, 약간의 예외는 있지만 한국어와 영어의 어순은 정반대로 되어 있다. 부사들 사이의 순서도 한국어와 영어가 정반대임을 알 수 있다.

(11) a. 철수는 [오늘 영희를 만났다.]

　　　　　　① ② ③

　　b. John [met Mary today.]

　　　　　　③ ② ①

(12) a. 나는 [오늘 기차로 서울에] 간다.

　　　　　　① ② ③

　　b. I go [to Seoul by train today.]

　　　　　　③ ② ①

품사의 유형

언어는 의사통의 수단이며 의사소통의 기본단위는 문장이다. 문장은 단어들의 조합으로 이루어지는데 이 조합과정에서 보이는 특징에 따라 단어들을 몇 가지 부류로 나누어 놓은 것이 곧 그 언어의 품사(word classes)이다.[8] 즉 품사란 한 언어의 낱말들을 그 특징에 따라 분류해 놓은 것으로, 품사를 자세히 보면 우리는 그 언어의 특징을 어느 정도 파악할 수 있다. 예를 들면 영어 등 유럽 언어에는 관사가 발달해 있는데 한국어에는 그러한 범주(품사)가 없다. 유형론적으로 보면 지구상에는 관사가 발달한 언어가 있고 발달하지 않은 언어가 있다.[9] 이와 관련해서 이 단원에서는 한국어 품사의 특징을 영어와 비교해서 몇 가지 살펴보겠다.

---

8) 품사에 대한 자세한 것은 제1장 '전통문법' 편 참조.

9) 관사를 하나의 품사로 보아야 하는가의 문제가 제기될 수 있는데 언어유형론에서는 품사를 아주 넓은 개념으로 이해한다.

형용사와 동사의 분화: 우리는 형용사와 동사는 당연히 별도의 품사라고 생각하기 쉽다. 이는 영문법의 영향일 것이다. 그러나 지구상에는 이 두 가지 품사가 구별이 안 되는 언어가 많고 한국어는 여기에 속한다. 한국어에서 이는 (13)과 같은 공통적인 특징이 있는데, 언어유형론적으로 볼 때 이 정도의 공통점을 가지고 있으면 이들은 같은 품사로 보아야 한다. (13c)는 '가고/가니/가서' 등의 동사 어형변화가 '예쁘고/예쁘니/예뻐서' 등의 형용사 어형변화와 차이가 없다는 것이다.

(13) 한국어 동사와 형용사의 특징
  a. 기본형이 '–다'로 끝난다.
  b. 시제를 가질 수 있다.
  c. 어형변화가 같다.

이와 관련해서 한 가지 중요한 사실은 현재형에서의 어형변화이다((14) 참조). 즉 형용사라고 할 수 있는 말들은 현재형에서 기본형을 그대로 쓴다는 점이다.

(14) a. 영희는 잔다. (o) / 자다. (x)
  b. 영희는 예쁜다. (x) / 예쁘다. (o)

그러면 (14)의 기준을 가지고 동사와 형용사를 구분하면 안 될까? 그렇게 하면 안 된다. 이는 99%의 공통점을 무시하고 1%의 차이점만 강조하는 꼴이기 때문이다. 유형론적으로는 한국어의 동사와 형용사가 거의 차이가 없다는 것이 중요하며, 이렇게 보는 것이 한국어를 정확히 파악하는 것이다.

접속사: 한국어에 접속사가 있을까? 당연히 있을 것이라고 생각한다면 이 역시 영문법의 영향이다. 학자에 따라서는 접속사를 인정하는 경우도 있지만 한국어 표준문법(학교문법)에서는 접속사를 별도의 품사로 설정하지 않는다

(제1장 "언어연구의 흐름" 편 참조).

유형론적으로 볼 때 한국어 표준문법의 입장이 타당하며 그 이유는 다음과 같다. 접속구문은 먼저 크게 등위접속과 종속접속으로 나누어지고, 이를 세분하면 6가지가 있다. (15)–(16)에서 이 6가지의 접속구문이 한국어에서 어떻게 표현되는가를 보고 나면 한국어의 접속사를 영어식으로 생각하면 안 되겠다는 것을 알 수 있다.

(15) 영어와 한국어의 등위접속 구문

[연접구문]

a. John **and** Mary

b. 철수**와** 영희

c. John sleeps **and** Mary sings.

d. 철수는 자**고** 영희는 노래한다.

[이접구문]

a. John **or** Mary

b. 철수**나** 영희

c. John sleeps **or** Mary sings.

d. 철수가 자**거나** 영희가 노래하고 있을 것이다.

[역접구문]

a. John sleeps, **but** Mary sings.

b. 철수는 자**지만** 영희는 노래한다.

(16) 영어와 한국어의 종속접속 구문

[명사절]

a. John thinks / knows **that** Mary is honest.

b. 철수는 영희가 정직하다**고** 생각한다. / 정직한 것을 안다.

c. 철수는 영희가 정직**한 것**을 안다.

[형용사절]

a. the man **whom** I met yesterday

b. 내가 어제 만**난** 사람

[부사절]

a. **because** John is ill

b. 철수가 아파**서**

c. 철수가 아프**기 때문에**

이 예문에서 보는 것처럼 영어의 경우 접속표지가 분명하게 하나의 단어로 나타나고 있기 때문에 접속사라는 품사를 설정하는 데 큰 문제가 없다. 그러나 한국어에서는 접속표현이 조사나 어미로 실현되고 있다. 조사는 이미 한국어에서 별도의 품사로 설정되어 있기 때문에 '–와/–과/–나' 등을 따로 접속사라고 할 필요는 없다. 이밖에 어미가 있는데 이는 낱말이 아니므로 품사 분류의 대상이 되지 않는다. 품사란 낱말의 종류이기 때문이다.

한국어에 접속사를 설정하려는 사람들은 흔히 '그리고, 그러나, 그러면, 그래서, ……' 등의 어류를 생각할 것이다. 물론 이들을 한국어 문법에서 접속사로 볼 수도 있다. 한국어 표준문법에서는 이들을 부사(접속부사)의 일종으로 본다. 영어의 *therefore, thereafter, thereby,* …… 등과 같은 것이다.

전치사와 조사: 전치사와 조사는 언어학적으로 성격이 같은 것이다. 명사에 붙어 방향, 장소 등 명사의 기능을 표시해 주는 것이다. 언어에 따라 그 위치만 다를 뿐이다. 즉 영어와 같이 명사 앞에 오는 언어가 있고 한국어와 같이 명사 뒤에 오는 언어가 있는데, 언어유형론에서는 전자를 전치사(preposition)라 부르고 후자를 후치사(postposition)라고 부른다. 앞에서 말한 대로 이들을 전치사형 언어와 후치사형 언어로 구분할 수 있다. 한국어의 조사는 영어로 *postposition*이라고 부르는 것이 적절하다. 전치사와 후치사를 아울러서 부치

사(adposition)라고 부른다.

분류사와 의성·의태어: 지구상에는 또 분류사와 의성·의태어가 발달한 언어가 있고 그렇지 않는 언어가 있다. 한국어는 전자에 속하고 유럽 언어는 후자에 속한다. 분류사(classifier)란 '자루, 켤레, 권, 마리, 그루' 등의 어류를 말하는데, 이들을 보면 그 앞에 오는 명사가 어떤 종류의 명사인가를 알 수 있기 때문에 이를 분류사라고 부른다. 의성·의태어는 '방울방울, 찰랑찰랑' 같은 낱말들을 말한다. 한국어는 이러한 말들이 잘 발달한 언어이다. 분류사와 의성·의태어가 잘 발달하지 않은 영어 화자들은 이러한 말을 배우기가 매우 어렵다((17) 참조).

(17) a. 눈물이 줄줄 흘렀다.
b. 잠이 실실 온다.

관사: 영어에서 *a/an, the*를 관사라고 하는데 한국어에 '한, 그'도 관사라고 하면 될까? 그러면 안 된다. 지구상에는 관사가 발달한 언어가 있고 그렇지 않는 언어가 있는데, 유럽 언어는 전자에 속하고 한국어는 후자에 속한다. '관(冠)'이란 말은 '머리, 모자'라는 뜻이며 관사란 따라서 명사의 머리가 되는 말로서 특별한 일이 없는 한 명사 앞에 반드시 쓰여야 한다. 즉 영어에서 명사는 기본적으로 홀로 쓰이지 않으며 관사와 함께 써야 한다. 이때 *this, that, my, your, his* 등이 관사 대신 쓰일 수는 있다. 반대로 한국어는 관사가 발달해 있지 않으며 명사가 얼마든지 홀로 쓰일 수 있다. 다음 예문들은 영어와 한국어의 차이를 잘 보여준다. 즉 영어의 명사 앞에는 모두 관사가 쓰였는데 한국어의 명사는 모두 홀로 쓰였다.

(18) a. The sun rises in the east. / 태양은 동쪽에서 뜬다.
b. I am a student. / 나는 학생이다.
c. The dog barks. / 개는 짖는다.

조동사: "한국어에 조동사가 있느냐?"고 물어 보면 많은 경우 별로 주저함 없이 "없다"고 대답한다. 그렇게 대답한 근거를 물으면 "조동사는 영어의

can, must, may 같은 동사인데 한국어에는 그런 동사가 없기 때문이다"는 것이다. 이 역시 영어 중심 사고이다. 지구상에 조동사가 없는 언어는 없을 것이다. 조동사란 원래 본동사로 쓰이던 말이 시간이 감에 따라 그 본래의 의미를 잃고 다른 동사에 대해 보조적인 기능을 하는 것들이다. 한국어 문법에서는 보통 이들을 보조동사 혹은 보조용언이라고 부르는데 '조동사'와 같은 말이다. 한국어 조동사의 예를 보면 (19)와 같다. 어떠한 개념이 조동사로 발달해 있느냐는 언어에 따라 차이가 있다.

(19) 한국어 조동사의 예

주다: 숙녀에게 문을 열어 주었다. / 영어를 가르쳐 주다

버리다: 영희가 그냥 가 버렸다. / 어중간해서 먹어 버렸다.

보다: 빨리 엄마한테 가 보아라. / 조금 더 기다려 보자.

오다/가다: 손발이 시려 온다. / 방바닥이 식어 간다.

격표시의 유형

격의 정의: 하나의 문장은 기본적으로 하나의 술어(동사)와 하나 이상의 명사로 이루어진다. 명사는 문장 가운데서 주어, 목적어, 방향, 장소 등 여러 가지 의미 기능을 수행하는데 이 명사의 기능을 격이라고 한다. 예를 들면 한국어 "데려오다" 동사는 (20)과 같이 5개의 명사를 취할 수 있고 이 명사들은 이 문장 안에서 각각 다른 기능(격)을 갖는다.

(20) 동사 "데려오다"와 명사 결합의 예

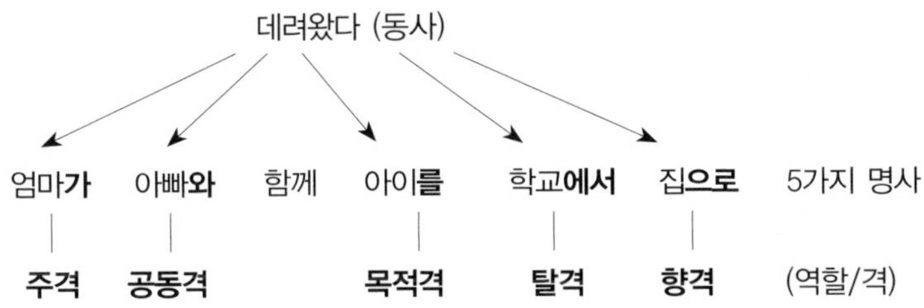

격의 실현방법: 언어에 따라 격은 (21)과 같이 크게 세 가지 방법으로 표현되며 그 예는 (22)와 같다. 즉 영어 문장에서는 명사의 위치를 보고 주어와 목적어를 구별한다. 독일어 문장에서는 관사의 어미를 통해 격이 표현된다. 한국어는 모든 명사의 기능이 후치사(조사)를 통해 표현된다. 남태평양의 통가어(Tonga)는 동사가 문장 맨 앞에 오는 VSO 어순의 언어이며 (22d)와 같이 모든 명사의 기능을 전치사로 표현한다. 통가어는 대표적인 전치사형 언어이고 한국어는 대표적인 후치사형 언어이다.

(21) 격의 실현방법

a. 어순

b. 어형변화

c. 전치사/후치사

(22) 4가지 격표현의 예

a. The man loves the woman. (어순: 영어)

b.

D–er	Mann	liebt	d–ie	Frau.
the–E	man	loves	the–E	woman

'The man loves the woman.' (어형변화: 독일어; E: 어미)

c. 그 남자는 그 여자를 사랑한다. (후치사: 한국어)

d.

Na'e	tāmate'i	'e	Tēvita	'a	Kōliate.
PAST	kill	주격	David	목적격	Goliath

'David killed Goliath.' (전치사: 통가어)

어형변화로 격을 나타내는 대표적인 언어는 라틴어이다. 앞에서 본 바와 같이 이 언어는 격에 따라 명사 자체가 변화를 한다. 독일어에도 이러한 변화가 남아 있으며 영어의 소유격에 붙이는 '–s'도 이 명사변화의 흔적이다. 편의상 위의 라틴어 명사변화표를 아래에 반복한다.

(5) 라틴어 명사 *dominus* '주인' / *domina* '여주인'의 격변화

1	*dominus*	*domina*	nominative (주격)
2	*domine*	*domina*	vocative (호격)
3	*dominum*	*dominam*	accusative (목적격)
4	*domini*	*dominae*	genitive (소유격)
5	*domino*	*dominae*	dative (여격)
6	*domino*	*domina*	ablative (탈격)

유럽 언어학의 전통에서는 이러한 어형변화에 따른 기능표시만을 격이라고 불렀다. 그러나 이 격 개념은 어형변화가 전혀 없는 중국어와 같은 언어에서는 적용할 수 없으며, 명사의 기능을 후치사(조사)로 나타내는 한국어에서도 적용하기가 어렵다.

지구상에는 한국어나 통가어처럼 명사의 격을 한 가지 방법으로만 표현하는 언어도 있지만 여러 가지 방법을 함께 사용하는 언어도 있다. 예를 들면, 영어는 (23)에서 보는 것처럼 어순, 어형변화, 전치사 등 세 가지 방법을 사용한다. 독일어의 경우 주격, 소유격, 여격, 목적격은 어형변화를 통해 나타내고 다른 기능들은 전치사로 나타낸다.

(23) 영어의 세 가지 격표시 방법

a. The man loves the woman. (어순)

b. **I** love **him**. / **He** loves **me**. (어형변화: 대명사)

c. The man wrote the letter **with** a pen. (전치사: 도구격)

고립어인 중국어의 경우 명사의 기능표시는 어순에 의한 방법과 전치사에 의한 방법이 있다. 영어와 같이 SVO를 기본어순으로 하는 중국어는 전치사가 발달한 언어이다.

(24) 중국어의 격표시 방법

a. 我們　很　喜歡　老師. (어순)
우리　매우　좋아하다　선생님
'우리는 선생님을 매우 좋아한다.'

b. 我　生　于　浙江. (전치사)
나　태어나다　에서　절강
'나는 절강성에서 태어났다.'

격의 종류: 문장 가운데서 명사가 갖는 기능을 격이라고 한다면 우리는 격을 몇 가지 정도로 세분할 수 있을까? 사람에 따라 의견이 다를 수 있겠지만 언어유형론적으로 볼 때 (25)와 같이 13가지 주요격을 구분할 수 있다.

(25) 13가지 주요격(Blake, 1994 참조)

주격(nominative):	아이**가** 잔다.
목적격(accusative):	아이가 만화**를** 본다.
소유격(genitive):	아이**의** 옷이 예쁘다.
여격(dative):	아이가 엄마**에게** 책을 주었다.
처격(locative):	언니는 서울**에서** 산다.
탈격(ablative):	태풍이 나**에게서** 아들을 앗아갔다.
도구격(instrumental):	철수는 칼**로** 빵을 잘랐다.
공동격(comitative):	철수는 영희**와** 극장에 갔다.
목표격(purposive, 'for'):	He went **for** fish.
향격(allative, 'to'):	철수는 학교**에** 갔다.
통과격(perlative, 'through'):	**through** the tunnel
비교격(comparative, 'than'):	철수는 영희**보다** 크다.
호격(vocative):	철수**야**, 뭐 하니?

한국어 격의 종류와 수: 한국어 격의 종류와 수에 대해서는 학자에 따라 의견이 매우 다양하다. 이는 유럽 전통의 격 개념을 한국어에 접목시키면서 나타난 현상이다. 즉 유럽 전통에서는 어형변화에 의한 명사의 기능표시만을 격이라고 정의하였는데 명사의 어형변화가 없는 한국어에서는 어디까지를 격으로 보아야 할지가 애매했던 것이다. 학자에 따른 격의 수를 몇 가지 보면 (26)과 같다. 격을 명사의 기능표시라는 넓은 개념으로 보면 한국어의 격은 (27)과 같이 다양하게 보는 것이 더 적절할 것이다.

(26) 학자에 따른 한국어 격의 수(김상돈·이경희, 1999: 621 참조)

6격: 최현배(1937), 박승빈(1935), 배윤덕(1973)
7격: 정인승(1949), 홍기문(1947), 고영근(1987)
8격: 김민수(1970), 이숭녕(1981)
9격: 이기백(1972), 신원우(1973)
10격: 성광수(1977)
14격: 이숭녕(1956)
18격: 이희승(1949)

(27) 한국어 명사의 기능과 관련된 조사들(이건환, 2004)

주격	이/가, 에서, 께서	목적격	을, 를
관형격	의	처소격	에, 에서
호격	아, 야	도구격	으로, 로
여격	에게, 께, 한테	향격	에, 로, 를
탈격	에서, 에게서, 한테서	변성격	로, 으로
비교격	보다, 만큼	열거격	와, 과, 에, 하고
유래격	에서, 로부터	동류격	처럼, 와, 과
원인격	에, 로	상대격	에게, 한테
자격격	로, 로서		

표준 한국어문법(학교문법)에서는 한국어의 격을 (28)과 같이 7가지로 구분한다. 그러나 부사격 안에 여러 가지 격들이 포함되어 있기 때문에 엄격히 말하면 이는 7격 체계라고 볼 수 없다. (27)의 다른 격들은 거의 부사격 안에 포함되어 있는 것이다. 여기서 부사격은 하나의 격이라고 보기는 어렵고 여러 개의 격을 편의상 한데 묶어 놓은 것일 뿐이다. (28)에서 또 한 가지 문제가 되는 것은 서술격이다. 한국어의 '-이다'를 서술격 조사로 보는 것인데 이는 언어학적으로 적절한 분류가 아니다. '-이다'를 조사로 분류하는 것은 영어에서 BE-동사를 전치사로 분류하는 것과 같기 때문이다.[10)]

(28) 표준 한국어문법(학교문법)의 7가지 격

주격, 목적격, 관형격, 보격, 호격, 서술격, 부사격

토론해 보기

- 영어의 관사에 대해 한국어에 대응표현이 없는 예를 찾아보자.
- 영어의 동사, 전치사, 접속사의 위치를 한국어와 비교해 보자.
- 첨가어가 어떤 언어인지 한국어의 예를 가지고 설명해 보시오.

10) 이에 대한 자세한 것은 제5장의 '한국어의 문장구조' 부분 참조.

제3장 언어와 문화

언어와 문화의 관계
문화간 소통
상대방 문화의 이해

먼저 생각해 보기

- 문화라는 말이 들어간 표현들을 찾아보고, 문화의 개념이 무엇인지 생각해 보자.
- 한국어에서는 '푸른 하늘, 푸른 숲'이라고 해서 하늘의 색깔과 숲의 색깔을 같이 표현하는 경우가 있는데, 이를 어떻게 이해해야 할까?
- "Korean Time"이라는 말은 무슨 뜻이며 왜 이런 말이 생겨났을까?

언어와 문화의 관계

문화란 무엇인가?

21세기에 들어 국가들 간에 교류가 활발해지면서 문화는 중요한 화두가 되고 있다. 그러나 (1)에서 보는 바와 같이 '문화'라는 말은 매우 다양하게 쓰이기 때문에 이들을 모두 포괄할 만한 개념을 찾기는 쉽지 않아 보인다.

(1) a. 한국과 미국의 문화, 유럽문화, 아시아 문화, 한국인의 명절문화, 남도의 음식문화, 티베트의 장례문화, 제의(제사) 문화
b. 대학문화, 대학의 음주문화, 대학 MT 문화, 군대문화
c. 문화예술회관, 아시아 문화전당, 문화중심도시, 문화상품권

문화란 영어로 *culture*라고 하는데 이는 원래 *cultivate*(경작하다)라는 말에서 유래하였다. '경작'이란 인간이 자연 상태로 있는 것만 먹고 살다가 먹을 것을 직접 재배하기 시작했다는 뜻이다. 자연을 바꾸어 이용하기 시작한 것인데 이것이 바로 문화의 시작이다. 즉 문화란 인간이 자연 상태에서 벗어나 보다 편리하고 풍요로운 생활을 위해 고안해 낸 여러 가지 '삶의 방식'이라고 할 수 있다. 이러한 삶의 방식은 나라에 따라 혹은 지역에 따라 다를 수 있다. (1a)에서 문화라는 말은 이러한 넓은 의미로 쓰인 것이다. 문화는 또 한 사회 안에서 특정한 집단의 행동 양식이나 생활 방식을 의미하기도 하는데 (1b)의 용어들이 그 예이다. 보다 좁은 의미에서 문화는 음악, 미술, 연극, 영화, 문학 등 예술이나 공연 활동과 관련된 것들을 의미하는데 (1c)의 용어들이 그 예이다. 학문적인 영역에서 문화에 대한 논의는 보통 (1a)와 같은 개념을 사용한다.

문화 상대주의와 언어 상대주의

20세기 초에 독일 출신의 미국 인류학자 Franz Boas(프란츠 보아스, 1858–

1942)는 문화 상대주의(cultural relativism)라는 개념을 도입하였다. 상대주의란 우열의 개념을 배제하고 서로 간에 차이를 인정하며, 서로를 동등하게 보자는 입장이다. 모든 문화는 전개된 환경과 역사적 발전 과정으로 인해서 차이가 날뿐, 동등하게 복잡하고, 동등하게 도덕적이며, 동등하게 타당하다고 보는 시각이다. 이는 특정한 문화권의 사람들이 왜 특정한 문화적 행위를 하는가를 이해하기 위해서는 해당 문화에서 답을 찾아야 한다는 사상이다. 즉, 외부인이나 다른 문화권의 시각이 아니라 그 사람들의 시각에서 주어진 의문에 대한 답을 구해야 한다는 것이다. 식민주의가 성행했던 당시에 Boas의 이런 시각은 매우 급진적인 것이라고 하겠다.

문화 상대주의의 반대 개념은 문화 우월주의라고 할 수 있다. 자기의 문화가 우월하다는 생각인데, 사실은 우리가 문화 상대주의적 입장을 견지하기는 쉬운 일이 아니다. 예를 들면 지금 우리나라에 결혼 이주여성 및 다문화 가정이 많이 있다. 이 여성들 가운데는 숟가락이나 젓가락을 사용하지 않고 자기 나라에서의 습관대로 손으로 음식을 먹는 경우가 있는데 우리가 이 여성들을 아무런 편견 없이 대한다는 것은 말처럼 쉬운 일이 아니다. 우리는 자기도 모르게 문화 우월주의에 빠져 있는 것이다.

20세기 초 우리나라의 상황은 신발이 제대로 없어서 지푸라기를 엮어서 만든 짚세기라는 것을 신고 다녔고 내의가 변변치 않던 시절이라 하류층의 아낙네들은 여름철에 가슴을 드러내놓고 다녔다. 1907년 우리나라에 와있던 선교사 S. Moore(무어)라는 분은 다음과 같은 고백을 했다: "지금까지 나는 한국인을 다소간 멸시하는 생각을 가지고 있어 동양은 동양이고 서양은 서양이니 이 양자 사이에는 유사성이나 공동의 광장이 있을 수 없다고 생각해 왔다."[11] 문화 우월주의의 예이다.

---

11) 출처: 2015년 7월 10일 CBS TV '성경 꿀팁' 프로.

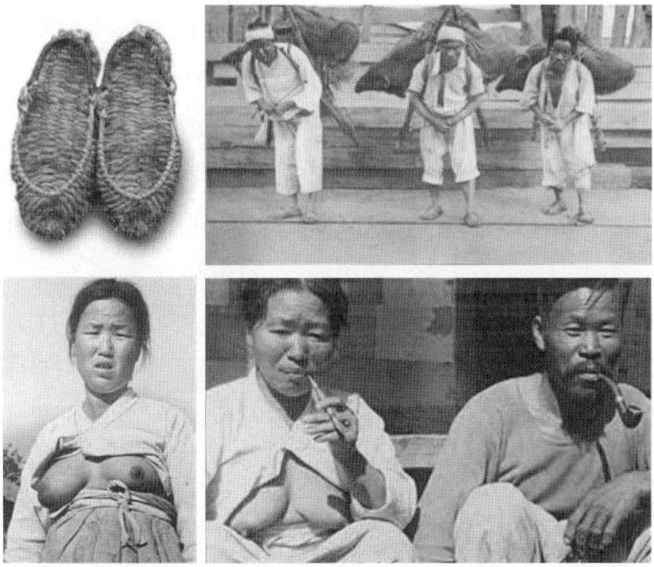

20세기 초 한국의 신발과 아낙의 모습

문화 상대주의 개념을 언어에 적용시킨 것을 언어 상대주의(linguistic relativism)라고 하는데 이 사상의 원류는 Boas보다 한 세대 앞선 독일의 언어 철학자 Wilhelm von Humboldt(빌헬름 폰 훔볼트, 1767–1835)이다. 언어 상대주의란 기본적으로 모든 종족의 언어는 고유한 특징과 독자성을 가지고 있으며 그 자체로 완벽한 체계라는 입장이다. 이에 따르면 언어들 가운데는 '우수하다'거나 '미개하다'는 개념이 있을 수 없으며 모든 언어는 동등하게 복잡하고 표현력이 풍부하며 그 자체로 완전한 체계를 갖추었다는 것이다. 언어는 그 자체 내에서만 온전히 이해할 수 있기 때문에 한 언어를 다른 언어로 번역해서 이해하려는 것은 마치 특정 물건을 위해 만들어진 그릇에 다른 물건을 억지로 넣는 것과 같으며, 자신의 언어를 기준으로 다른 언어를 평가하거나 판단해서는 안 된다는 입장이다.

20세기 들어 미대륙의 인디안 언어를 연구하면서 언어 상대주의 이론을 펼친 연구자는 미국의 언어학자 Edward Sapir(에드워드 사피어, 1884–1939)와 Benjamin Lee Whorf(벤자민 리 워프, 1897–1941)이다. Humboldt와 마찬가지로 이들은 언어가 다르면 문화가 다르고, 세계관과 사고방식이 다르며 나아가 행동양식이 다르다는 가설을 세우고 이를 증명하려 했다. Sapir와 Whorf는 한 언어의 어휘들은 그 언어를 사용하는 사람들의 경험과 생각이 조직적으로 구성된 체계라는 사실에 주목하고 각 언어의 어휘들을 조사하였다. 이에 따르면 주어진 문화에서 중요한 사항에 대해서는 다양한 어휘가 발달해 있다.

예를 들어 영어에서 눈을 나타내는 단어는 *snow* 하나밖에 없는데 에스키모어는 '떨어지는 눈', '바닥에 있는 눈', '딱딱하게 굳은 눈'을 나타내는 말이 구분되어 있다. 또 영어에는 쌀과 관련된 말이 *rice* 밖에 없는데 쌀을 주식으로 하는 한국에는 이에 대해 '모, 벼, 쌀, 밥' 등 다양한 표현을 가지고 있다. 어떤 어휘체계가 발달해 있으면 언어 사용자들의 대상에 대한 인식을 발달시키고 세분화할 것이다. 반대로 '시간, 아름다움, 정의, 사랑'과 같은 추상적인 어휘를 가지고 갖고 있지 않은 언어도 있는데, 이러한 어휘체계는 당연히 그 언어 사용자들의 추상적 사고에 영향을 미칠 것이다.

요약하자면 한 언어 공동체의 구성원들은 공통의 언어를 사용함으로써 사물에 대한 인식과 관점을 공유하게 되고 결국 세상을 보는 눈(세계관)을 공유하게 된다. 언어학에서는 이를 사피어–워프 가설(Sapir–Whorf hypothesis)이라고 한다. 이러한 세계관, 사고의 틀, 혹은 인식의 틀을 '언어적 중간세계'라고 부른다. 인간은 외부 세계를 있는 그대로 인식하는 것이 아니라 언어라는 창을 통해서 보고 인식한다는 것이다. 언어적 중간세계는 문화적 중간세계라고 할 수도 있다. 언어의 창, 문화의 창이 바로 인간과 객관 세계 사이에 있는 중간세계다.

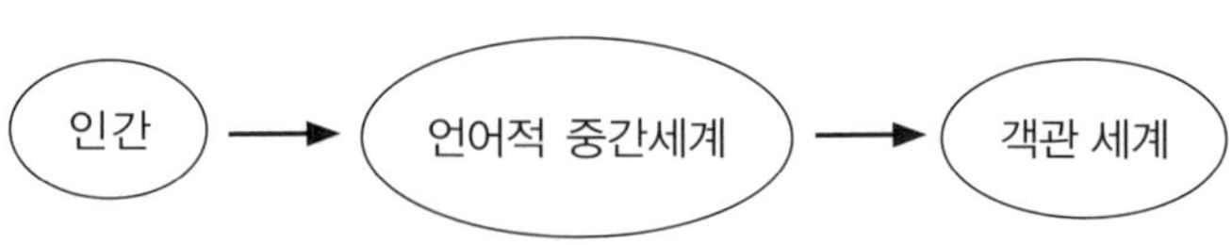

언어적 중간세계

언어가 먼저일까, 문화가 먼저일까?

실제로 언어는 인간의 인식체계 및 문화에 영향을 주는 것일까, 아니면 언어는 단순히 문화를 표현하는 수단일까? 언어가 문화 혹은 인식체계에 영향을 미치는 한 가지 예는 색채 어휘에서 볼 수 있다. 자연현상으로 나타난 색채의 스펙트럼은 한 가지인데 언어마다 색깔을 구분하는 방식은 다르다. 즉 개별 언어들은 이 스펙트럼을 각각 자기의 방식대로 나누어 색깔의 이름을 붙인다. 인간이 점진적으로 변해가는 색깔의 연속체를 보고 이를 어떻게 구분하고 범주화 할 것인가는 인간 내면에 저장된 색채용어에 따라 달라질 수 있다.

예를 들어 한국 사람은 청바지의 색과 하늘의 색을 모두 '파란색'이라고 부르고 이 두 가지 색깔을 동일한 범주로 간주한다. 언어에 따라 이 범주는 더 좁아질 수도 있고, 확대될 수도 있으며, 또는 다른 색으로 표현될 수도 있다. 한국어에서는 또 풀의 색과 바다의 색을 모두 '푸르다'고 묘사하고 하나의 색깔 범주에 넣기도 한다. 이렇게 자란 우리는 어쩌면 '초록색'이라는 단어를 따로 배우기 전에는 나뭇잎과 바다색을 동일한 색으로 인식하고 있었을지 모른다. 어떤 언어에서는 색깔을 어두운 색과 밝은 색 두 가지만 구분하기도 하고, 또 어떤 언어에서는 검정색, 흰색, 빨간색만을 구분하기도 한다. 눈으로 받아들이는 색채의 정보는 같지만 사람은 자신의 언어에 나타난 색채용어에 따라 색을 구분하고 인식한다는 것이다. 이 경우 언어가 인간의 사고, 사물을 보는 시각, 혹은 넓게는 세계관에 영향을 미친 것으로 보인다.

위와 같은 입장이 사피어-워프 가설인데 이에 반대하는 사람들은 언어와 문화의 관계에서 오히려 문화가 언어에 영향을 미친다고 주장한다. 즉 문화가 이러저러하기 때문에 그에 따라 언어표현이 달라진다는 것이다. 한 집단의 문화나 생활방식이 그들이 사용하는 언어에 어떻게 영향을 주는가를 보여 주는 한 가지 예는 가족관계 표현에서 볼 수 있다. 예를 들어, 유럽 문화에서는 모계 가족과 부계 가족을 구분하지 않는다. 이에 따라 영어에서는 외할머니와 친할머니를 구분하지 않고 똑같이 *grandmother*로 부른다. 그러나 한국이나 중국은 친족어에서 모계와 부계 가족을 구분하고 3대, 4대의 가족이 한 집에 모여 살던 한국의 문화에서는 친척을 부르는 용어가 매우 다양하게 발달되어 있다. 그런가 하면 확대된 가족 구성원이 육아의 책임을 공유하는 많은 부족사회에서는 아이가 자신을 낳아준 어머니뿐만 아니라 어머니의 자매들까지 '어머니'라고 부르며 아버지의 형제들을 모두 '아버지'로 부른다. 이러한 문화를 가진 아프리카의 마을에는 한 아이의 '어머니'와 '아버지'인 마을 어른들이 함께 살아가고 이들은 아이를 양육할 공동 책임이 있다.

남태평양의 마셜 군도에서는 사람들이 작은 섬 지역에서 공동체를 이루며 살아야 하는 필요성 때문에 상대방에 대한 비난이나 행동의 주체를 표현하는 것을 피하는 언어구조를 가지고 있다. 이들은 주로 수동태를 사용하며, 1인칭 단수 '나'를 표현할 때도 복수 '우리'로 사용한다. 뉴기니의 숲 속에 사는 농업부족인 사모족은 농사 외에 사냥과 채취로 삶을 이어가는데 이들의 사냥 문화는 특정 지역의 위치를 묘사하는 언어표현을 다양하게 발전시켰다. 사모어인들의 언어는 사냥이나 채취가 어디에서 행해졌는지, 사람들이 그곳에 어떻게 도착했는지를 다른 언어들 보다 더 자세하게 묘사할 수 있다. 이처럼 인간의 삶의 방식과 문화에 따라 그 언어의 어휘체계와 표현방식이 달라질 수 있다. 이 경우 문화가 언어에 영향을 주고 있다고 하겠다.

이상에서 우리는 언어와 문화, 혹은 언어와 사고와의 관계에 대해 두 가지 관점을 보았는데 이 가운데 어느 하나의 관점으로 언어와 문화의 상관관계를 충분히 설명할 수는 없을 것 같다. 실제로, 어린 시절부터 경험하고 습득하는 환경과 문화는 사람으로 하여금 특정한 세계관을 갖게 하고, 그 세계관은 당연히 언어로 표현된다.

한편 언어에는 긴 역사를 통해서 축적된 언어공동체의 문화와 세계관이 녹아 있어서 그 구성원들의 사물을 보는 시각이나 사고방식에 영향을 줄 것이다. 같은 언어를 사용하는 공동체는 공동의 세계관을 가지게 되고, 같은 방식으로 사고하고, 같은 방식으로 살아갈 것이다. 언어가 그 언어 공동체의 인식체계를 어느 정도 제어하고 있다고 볼 수 있는 것이다. 그리고 시간이 가면서 공동체의 인식체계는 변할 것이고 이는 다시 언어에 새로운 어휘와 표현을 생성해 내는 순환적 고리를 형성할 것이다. 긴 역사의 관점에서 보면 문화가 언어에 영향을 미친다고 볼 수 있고 현재적 관점에서 보면 언어가 문화, 즉 공동체의 인식체계나 행동양식에 영향을 미친다고 할 수 있다.

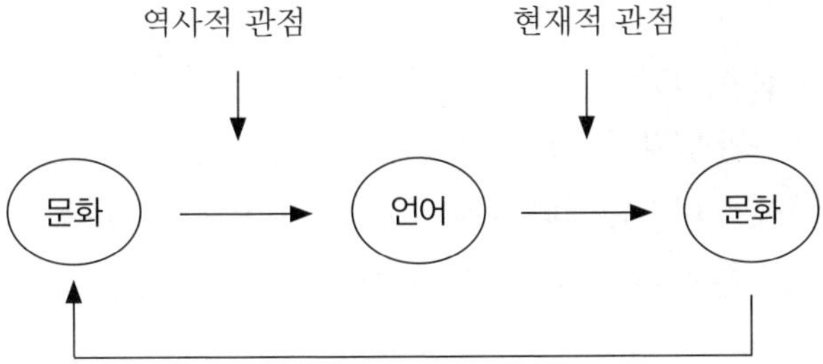

언어와 문화의 영향 관계

문화 간 의사소통

개방화 시대에 세계는 좁아지고 문화 간 교류가 빈번해지고 있다. 이제 한국사회도 다른 문화의 사람들과 함께 일하고 결혼하고 친구를 맺는다. 이러한 문화 간 교류는 우리 사회에 다른 언어와 다른 문화에 대해 새로운 시각을 요구한다. 언어학은 제2언어 및 외국어 학습자는 반드시 제2문화의 학습자가 되어야 한다고 본다. 한 언어는 그것이 사용되는 문화적 맥락에 대한 이해 없이 제대로 학습될 수 없기 때문이다.

앞에서 언급했듯이 언어와 문화는 서로 밀접한 관계에 있다. 문화는 언어에 영향을 주고 언어는 사용자들의 세상에 대한 인식과 관점에 영향을 주고, 이들의 세계관은 다시 그들의 문화를 형성한다. 각 사회는 고유한 문화와 세계관을 가지고 있으므로 의미와 상징의 연결구조는 사회마다 다양하다. 세상에 대한 인식 방법과 개념화의 방식, 표현방식, 교류 방식은 그 언어 공동체만의 특성을 갖게 된다. 이렇게 서로 다른 문화와 세계관을 가지고 있는 사람들이 소통을 하고자 할 때 이들 앞에는 숱한 오해의 함정이 놓여 있을 것이다.

단어 의미 해석의 함정

하나의 단어를 이해한다는 것은 그 단어의 개념적 의미와 내포적 의미를 모두 파악하는 것을 말한다. 개념적 의미는 비교적 안정적인 영역인 반면 내포적 의미는 대화의 맥락이나 화자의 경험에 따라 유동적인 부분이다. 따라서 문화 간 교류에서 내포적 의미는 개념적 의미보다 오해의 여지를 더 많이 가지고 있다. 다음은 이에 대한 2가지 사례이다.

[사례 1] 영어를 모르는 한 아주머니가 미국에 갈 일이 생겼는데 위장이 안 좋아서 평소 먹던 위장약을 가지고 갔다. 미국 공항 검색대에서 이 위장약이 문제가 되었다. 아주머니는 손짓 발짓 해가면서 배가 아플 때 먹는 것이라고 설명했으나 알아듣지 못했다. 마침 옆에 있던 한 아저씨가 짧은 영어로 'drug'라고 했는데 검색대 직원은 갑자기 그 아주머니를 경찰에 넘겨 버렸다. 무엇이 잘못된 것일까? 한국 아저씨는 '의약품'이라는 뜻으로 'drug'이라고 했는데 검색대의 미국 사람은 이를 '마약'라고 오해한 것이다. 미국의 문화에서는 이 말이 흔히 마약이라는 뜻으로 쓰이기 때문이다.

[사례 2] 러시아 항공 아에로플로트가 한국에 첫 취항하던 날 승무원이 묵은 서울의 호텔에서 실제로 일어났던 일이다. 러시아인 승무원이 호텔 종업원에게 '알콜'을 구해달라고 부탁했다. 잠시 후 종업원은 '알콜'을 구해다 주었는데 다음날 아침 그 러시아 승무원이 호텔방에서 죽어 있었다. 무엇이 잘못된 것일까? 러시아 승무원은 술('알콜')이 먹고 싶어서 구해달라고 했는데 호텔 종업원은 공업용 알콜을 사다 준 것이다. 유럽 문화에서는 '알콜'이라는 말이 보통 술을 의미하는데 한국에서는 이 말이 보통 소독용이나 공업용 알콜을 의미하는 데서 일어난 사고인 것이다.

구체적인 대상을 지시하는 단어보다 추상적 대상을 지시하는 단어들이 문화에 따라 특수한 의미를 갖는 일이 많기 때문에 대화자 사이에 오해의 가능성이 커진다. Grabois(그라보이스, 1977)의 실험에 의하면 추상적인 단어(예: 권력, 사랑, 행복)를 제시하고 즉시 연상되는 단어를 대답하도록 하는 실험에서 실험 대상자들은 문화적 배경에 따라 다른 단어를 연상했다고 한다. 동일한 문화배경을 갖고 있는 사람들의 대답에서는 밀접한 관련성을 찾을 수 있었고, 문화적 배경이 다른 사람들 사이에서는 관련성을 찾기 어려웠다.

함축의미 해석의 함정

대화에서 흔히 사용되는 함축적 표현에서도 함정은 쉽게 발견된다. 특히 문화적 배경이 다를 경우 대화맥락에 대한 이해나 상대방에 역할에 대한 기대가 다를 수 있는데, 이러한 차이는 같은 언어표현을 가지고 서로 다른 함축적 의미를 도출할 수 있고 결국 대화자 간에 오해를 불러일으킬 수 있을 것이다.

예를 들면 (1)에서 '배고파?'라는 표현은 전달하고자 하는 의미, 즉 함축적 의미가 각각 다르다(바우튼/김덕영 역, 1999: 58).

(1) a. 정오가 되었을 때 한 친구가 자리에서 일어나 외투를 입은 다음 내 책상 옆을 지나가면서 묻는다. "배고파?"
b. 오후 4시, 수업을 받기 위해 교실에 들어가자 옆자리 친구가 초콜렛을 꺼내며 묻는다. "배고파?"
c. 오늘 친구와 살빼기 식이요법에 들어갔다. 늦은 오후 친구가 전화를 걸어 묻는다. "배고파?"

위의 예에서처럼 상황과 상대방에 대한 기대치에 따라 동일한 질문도 다른 의미로 들리게 된다. 예문 (1a)의 "배고파?"는 점심 초대의 의미로, 예문 (1b)에서는 초콜렛을 먹겠냐는 의미로, 예문 (1c)에서는 고통 받는 친구 간의 유대감을 표현한 탄식이나 농담으로 각각 다른 의미를 갖게 된다. 이렇게 함축적 의미는 발화 맥락과 상대방에 대한 기대치를 바탕으로 도출하게 되는데 대화자 사이에 이에 대한 이해가 다르면 같은 대화상황에서 서로 다른 함축적 의미를 도출할 수 있고 이는 상대방에 대한 오해로 연결될 수 있다. 예를 들면 위 (1a)의 "배고파?"는 "밥 먹고 해라!"는 의미로 해석될 수도 있을 것이다. 대화자 사이에 같은 함축적 의미가 도출되기 위해서는 다음과 같은 요소들이 공통적으로 이해되어야 한다.

함축의 해석을 위해 대화자들이 공유해야 할 요소(Grice, 1975)

1. 언어표현의 문자적 의미
2. 상대방의 역할에 대한 기대
3. 대화상황과 대화의 성격
4. 대화자들의 문화적 배경과 대화내용과의 관련성

이렇게 볼 때 대화자들의 문화적 배경에 따라 언어표현의 해석이 달라질 가능성이 높고 대화맥락에 대한 서로 다른 이해는 소통을 방해할 수 있다. 다음은 중국인 학생들이 처음 한국에 유학 왔을 때 흔히 겪는 일이다.

[사례 3] 같은 학과에서 알게 된 한국인 친구를 길 가다가 만났는데 "잘 있어? 언제 한 번 보자!"하고 지나간다. 중국인 학생은 속으로 '언제 만나지?'하면서 한국 친구에게서 다시 연락이 오기를 기다렸다. 그런데 2주 정도 지나서 또 길에서 그 한국 친구를 만났는데 "잘 있어? 언제 점심이나 한 번 하자!"하고 지나간다. 중국인 학생은 '저 친구가 언제 점심을 사주려나 보다!'하고 기다렸는데 시간이 지나도 연락이 없다. 무엇이 잘못된 것일까? 한국 학생은 "언제 한 번 보자!", "언제 점심이나 한 번 하자!"같은 표현을 그냥 인사말로 한 것인데 중국 학생은 이를 문자적으로 해석한 것이다. 한국과 중국 간의 인사 문화의 차이라고 볼 수 있다.

다음은 미국인 대부분이 이해하는 간접적 영어 표현들을 한국어로 번역해 놓은 것이다(바우튼/김덕영 역, 1999 참조). 이 대화들이 한국 사람에게 어떻게 들리는지 생각해 보자.

(2) A와 B는 항상 모임에 늦는 친구(톰)에 대해 대화하고 있다

A: 톰이 오늘 파티에 또 늦을까?

B: 교황은 가톨릭 신자일까?

(3) 빌과 피터는 같은 사무실에서 근무하는 친구 사이이다. 최근 피터가 사업상 다른 도시에 있는 동안 빌과 피터의 부인이 함께 춤추는 것을 목격했다는 말을 다른 친구들로부터 들었다. 이것을 듣고 피터는 다음과 같이 말했다.

피터: 빌은 정말 좋은 친구가 되는 법을 알아, 그렇지 않아?

(4) A와 B가 어제 본 영화에 대해 대화하고 있다.

A: '로빈후드' 봤어요?

B: 예, 어젯밤에 봤어요.

A: 어땠어요?

B: 그 영화 촬영법은 좋았어요.

(출처: 바우튼 / 김덕영 역, 1999: 66–67, 84)

예문 (2)에서 A의 질문에 B는 의문문으로 답하고 있다. 교황이 가톨릭 신자인 것이 당연하듯이 톰이 늦을 것도 당연하다는 뜻이다. 예문 (3)은 빌이 좋은 친구가 아니라는 것을 반어법으로 표현한 것이다. 예문 (4)에서 B는 영화의 중요하지 않은 부분을 칭찬함으로써 영화에 대한 간접적 비판을 하고 있다. 위의 대화들은 미국 사람들에게는 함축된 의미를 쉽게 알 수 있는 표현들이다. 그러나 외국인에게는 상당한 영어능력을 가지고 있다 하더라도 이 대화의 함축된 의미를 도출하기가 쉽지 않을 것이다.

예문 (2)와 같이 대답이 당연한 질문에 대해 질문으로 대꾸하는 경우가 다른 문화에서도 발견되는데 (5)와 같이 그 문화마다 흔하고 익숙한 대상이 등장한다. 함축에 대한 더 자세한 것은 제6장 "언어의 의미" 편에서 논의할 것이다.

(5) 미국: 젖소가 날까?

스리랑카: 원숭이가 집을 짓니? 거북이한테 깃털을 얻을 수 있니?

한국, 중국, 일본: 해가 서쪽에서 뜨겠다. / 뜨니?

베네수엘라: 개구리가 털이 있니?

말레이시아: 고양이 코에 뿔이 있니? 물고기가 걷니?

(출처: 바우튼 / 김덕영 역, 1999 : 88)

상대방 문화의 이해

다른 문화적 배경을 가진 사람과 교류할 때 상대방의 문화에 대한 인식과 이해가 없이는 바람직한 소통을 하기 어렵다. 항상 상대방 문화에 대한 호기심과 존중의 자세를 가지고 있어야 하며 대화에서 상대방의 대화방식이나 표정, 동작에도 주의를 기울여야 한다. 상대방은 나와 다른 인식세계, 다른 관점, 다른 대화방식을 가지고 있을 수 있기 때문이다. 문화적 차이에 대한 몇 가지 연구결과를 소개한다.

고맥락 문화와 저맥락 문화

우리가 어려서부터 몸에 익힌 언어, 관습, 가치관, 사고 등과 상반되는 문화를 가진 대화상대를 만나면 그 상황이나 대화를 쉽게 이해하기 힘들 뿐 아니라 상대방이나 상대방의 문화를 오해하고 비하하기 쉽다. 그러므로 상대방 문화에 대한 지식과 문화적 차이의 인식은 대화상대를 이해하고 소통하는데 도움이 될 것이다.

미국의 인류학자 Edward T. Hall(에드워드 홀)은 인류의 문화적 성향을 맥락 의존적 문화(고맥락 문화: high context culture)와 맥락 비의존적 문화(저맥락 문화: low context culture)로 분류하였다. 그는 이러한 분류를 통해 동서양 문화의 차이를 인식하고 상대방 문화의 타당성을 인정할 것을 주장하였다(Hall, 1976). 그는 나아가 이러한 상대 문화에 대한 인식을 이문화 간의 소통에 적용할 수 있는 방법을 연구하였다. Hall의 연구에 따르면 한국과 일본 등 동양적 문화에서 주로 보이는 고맥락 문화와 서양 문화의 특성인 저맥락 문화는 다음 (6)과 같은 차이를 보인다.

(6) 고맥락 문화와 저맥락 문화의 비교 (김칠관 · 윤병천, 2011: 72)

고맥락 문화	저맥락 문화
말이나 설명이 적음	말수나 설명이 많음
주로 동아시아 어족	주로 유럽 어족
폐쇄적인 커뮤니케이션	개방적인 커뮤니케이션
배려, 사양	솔직한 자기 주장
애매한 표현, 간접적 언어표현	명료한 표현, 직접적 언어표현
조화, 협조, 타율적, 원만함	대립, 독립, 자율적, 마찰

대화자 사이의 거리(proxemics)

Hall은 또 대화자들의 무의식적인 문화적 행위에 관심을 갖고 문화마다 다양하게 나타나는 비언어적 신호들에 관해 연구하였다(Hall, 1959; 1966). 그는 문화적 배경이 다른 대화자 사이의 거리, 시간 개념에 관해 연구하면서 문화와 대화방법 사이에 밀접한 연관성을 발견하였다. 예를 들면, 대화자들은 대화자 사이의 거리를 물리적인 거리만으로 생각하는 것이 아니라, 무의식적인 의사표현의 의미로 이해한다. 문화가 다르면 대화자 사이의 거리는 전혀 다른 의미로 이해될 수 있기 때문에 오해나 불화를 일으킬 수 있다.

Hall은 대화자 간의 거리대(zone of proximal)라는 개념을 도입하고 이를 '밀접 거리'에서 '공적 거리'까지 네 단계로 분류하여 단계 별 거리의 의미를 제시하였다. 다음 (7)은 미국인 대화자들의 네 가지 단계 거리의 의미이다.

(7) 미국 문화에서 대화자 간 거리의 의미

거리	cm	가능한 행동
친근한 거리	약 0–45	애정행위, 위로
개인적 거리	약 45–120	포옹, 개인적 주제 논의
사회적 거리	약 120–350	비개인적 용무 수행, 형식적 업무
공적 거리	약 350–750	대중적 연설, 큰 목소리, 공식적인 문장 사용

위에 제시된 거리대와 가능한 행동은 미국인들의 평균치이며 문화가 다르면 거리 개념이나 가능한 행동도 달라질 것이다. Hall의 연구에 따르면 아랍인들은 공공장소에서 혼잡, 부딪치기, 밀치기, 대화할 때 가까이 서기 등의 특징을 보이는데, 대부분의 미국인은 이를 불쾌하게 여긴다. 미국인은 자신과 친밀하지 않은 사람과의 거리대가 아랍인 보다 멀기 때문이다.

이러한 미국인과 아랍인의 거리 개념에 대한 차이는 과거 미국의 마을들이 대부분 넓은 시골 지역에 형성되었으며 상대적으로 최근에야 도시화된 국가라는 미국 역사와 관련이 깊다. 이에 반해 대부분의 아랍 국가들은 오랜 역사에 걸쳐 밀집된 도시 문명에서 살아왔다. 이러한 역사적 배경이 공간/거리에 대해 다른 의미를 갖게 했을 것이다.

표정의 의미

대화할 때 말하는 사람의 표정도 이야기 내용과 관련된 의미표현으로 볼 수 있다. 대화중 표정의 60% 정도가 '메시지가 담긴 표정'이라고 한다. 이러한 표정은 언어전달을 보조하는 정도가 아니라 언어를 대신하기도 한다. 이와 관련해서 한 가지 중요한 개념이 '기준표정'이다. 이는 말하는 사람의 성격이나 기분이 드러나는 배경 표정이라 할 수 있다. 이밖에 공적인 상황인지, 사적인 대화인지, 대화자 사이의 친근성의 정도, 심리적 거리 등 여러 가지 요소가 기준표정을 통해 드러나기도 한다(김칠관·윤병천, 2011 : 86 참조).

대화 속에서 나타나는 메시지 전달 표정과 기준표정을 구분해 보면, 기준표정은 무의도적이어서 자기 제어가 어려운 배경 표정이고 메시지 전달을 위한 표정은 의도적 제어가 가능한 의식적 표정이다. 그러나 문화, 세대, 개인 또는 상황에 따라 이 두 가지 표정에 대한 비중이 달라진다. 일본인이 기준 표정을 중요시하는 데 비해, 유럽의 문화에서는 대화 상황에서 표정이 지니는 메시지 전달 기능을 중시한다.

시간 개념

시간도 거리와 마찬가지로 문화적 의미를 갖는다. Hall(1959)의 연구에 따르면 미국인과 아랍인의 시간에 대한 관념도 큰 차이가 있다. 미국인들은 시간의 한 점을 단선적(monochronic)으로 보고, 아랍인들은 다원적(polychronic)으로 본다는 것이다. 단선적 인식은 시간을 하나의 선으로 인식하고 세세하게 구분하여 관리해야 하는 대상으로 여긴다. 이 문화권에 속한 앵글로 색슨, 독일, 스칸디나비아 사람들은 한 번에 한 가지 일만을 처리하려고 하고 정해진 시간이 되면 하던 일을 끝내고자 한다. 반면, 다원적 관점에서는 시간을 복합적이고 자연 발생적인 것으로 여기므로 시간보다는 사건이나 활동을 중심으로 일을 진행한다. 이 문화권에 속한 아랍인과 아프리카인, 스페인인, 멕시코인 등은 일의 과정과 인간관계를 기준으로 활동하기 때문에 시간에 대해 구애받는 것을 원치 않는다.

예를 들어 미국인과 아랍문화권 사람이 만날 약속을 했을 때 미국의 문화에서는 약속 시간에 지정한 장소에 나가면 정확한 시간에 약속한 인물만을 만나게 되고 정해진 시간에 일을 처리하려고 할 것이다. 반면에 아랍문화에서는 시간이 정확히 지켜지지 않고 관계없는 다른 친구들이 이미 그 자리에 나와 있거나 다른 사람들이 갑자기 합석하는 일이 흔하다고 한다. 그리고 그 모임은 언제 끝날지 시간을 정해놓지 않는다. 이 문화에서는 정한 시간 안에서 다수의 사람이 시간을 나누어 쓸 수 있다고 생각하고 시간 보다는 인간관계나 일의 진행을 중심으로 보기 때문이다.

차례 얻기 규칙

근래 들어 이문화간 의사소통이 문화 인류학의 중요한 관심거리가 되고 있다.

담화를 분석하는 연구자들은 대화를 사회적 상호작용으로 간주하고 사회 구성원들이 문화적 언어기호를 어떻게 사용하고 해석하는가를 연구한다. 이들은 특히 자연스럽게 오가는 대화 속에서 반복적으로 나타나는 언어형식을 문화적 언어기호로 보고 이 문화적 언어기호와 문맥과의 관계를 연구한다.

예를 들어 대화에서 화자를 교체하는 '차례 얻기(turn taking)'도 문화적으로 다르게 해석될 수 있는 문화적 언어기호이다. 미국 중산층의 대화에서는 차례 얻기가 매우 정교하게 이루어진다. 상대방이 말하는 동안은 절대 끼어들거나 동시에 말해서는 안 되고(no overlap), 상대방의 말이 끝나면 휴지를 두어서는 안 된다(no gap). 여러 사람이 함께 대화할 때도 두 사람이 동시에 말을 시작하면 한 쪽이 급히 순서를 양보해야 한다.

이러한 '차례 얻기'에 관련된 규칙은 문화마다 다양한 차이를 보인다. 미국 원주민 부족들은 대화 중 대답을 듣기 위해 침묵하며 몇 분씩 기다리는 것이 흔한 대화방식이라고 한다. 그런가 하면 서인도 제도 앤티가 섬 주민들의 대화는 끼어들거나 여럿이 동시에 말하는 방식이 예사이다. 이렇게 다른 '차례 얻기'의 규칙 때문에 이문화간의 대화에서는 대화중에 끼어드는 상대를 무례한 사람으로 여길 수도 있고, 상대방의 긴 휴지를 무응답으로 여기고 본인만 계속 대화를 독차지하는 상황이 발생할 수도 있다. 이문화 간의 교류에서는 상대방 문화의 대화규칙을 파악하기 위해 세심한 주의를 기울이는 노력이 필요할 것이다.

토론해 보기

- 언어는 단순히 생각을 표현하는 수단인가? 아니면 언어는 우리의 인식체계에 영향을 미치는가? 이에 대해 토론해 보자.
- 한국어에 '선배, 후배'를 영어로 어떻게 번역해야 할 것인지 생각해 보고, 번역이 어려운 이유에 대해 토론해 보자.
- 한국어에서 "언제 밥 한 번 먹자!"는 무슨 뜻인지 토론해 보자.

제4장 언어의 소리

말소리의 생성원리

음성

음운

음절

음운현상

한국어 음운체계의 특징

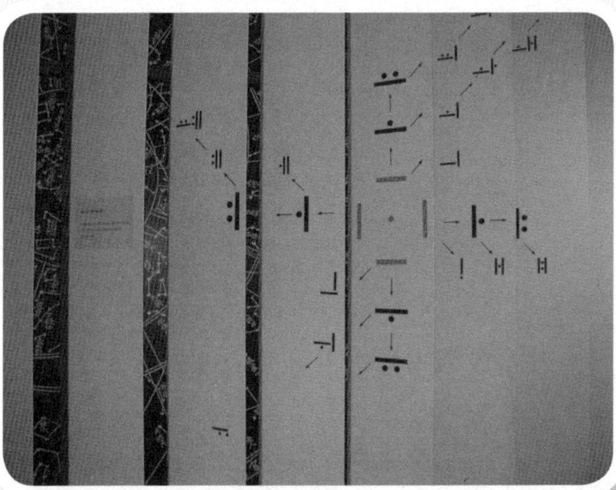

먼저 생각해 보기

- 우리가 말소리를 만드는 데 관여하는 발음기관에 대해 말해 보자.
- 자음과 모음은 만들어지는 방식에 차이가 난다. 어떻게 다른지 생각해 보자.
- 국어에는 있으나 영어에는 없는 말소리는 어떠한 것이 있는가? 반대의 경우도 생각해 보자.
- 밤(夜)과 밤(栗), report(보고서)와 report(보고하다)의 의미 차이는 무엇 때문에 일어나는가?
- 우리말 '김치'를 일본인들은 '기무치'로 발음하는 이유는 무엇일까?

말소리의 생성원리

말소리는 우리의 입과 코를 통해 허파에 들어간 공기가 다시 밖으로 나오는 동안 성대, 혀, 입술 등의 발음기관이 움직이면서 생성된다. 허파에 들어간 공기는 성대(성문)를 지나 코나 입으로 나오는데, 공기가 성대를 지나는 동안 성문이 열려 있으면 소리는 생성되지 않고 호흡만 진행된다.

말을 할 때는 성문의 열기와 닫기가 빠른 속도로 반복된다. 이 때 성문을 가볍게 좁힌 상태에서 공기를 지나게 하면 마주 보고 있는 목청이 떨게 되는데, 이 성대 진동(목청 울림)에 의해서 나는 소리를 유성음(voiced)이라 하고 성대 진동이 없으면 무성음(voiceless)이라 한다.

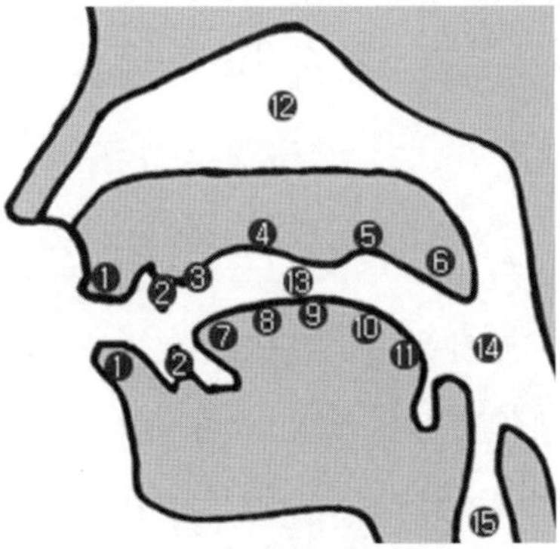

①입술 ②이 ③치경 ④경구개
⑤연구개 ⑥목젖 ⑦설첨
⑧설단 ⑨전설 ⑩후설
⑪설근 ⑫비강 ⑬구강
⑭인두 ⑮성대

발음기관/조음기관

말소리가 구체적인 모습과 성질을 갖추기 위해서는 목청으로부터 소리를 싣고 올라온 공기가 후두의 위쪽에 자리 잡고 있는 목안(인두), 입안의 여러 부위들, 코 등의 기관을 거치면서 필요한 작용을 받아야 한다. 이 과정을 조음과정이라 하며 이 때 참여하는 기관을 조음부 혹은 조음기관이라 한다.

음 성

음성은 발음기관을 통하여 만들어진 소리로, 말을 만드는 데 활용되는 분절적인 소리인 언어음이다. 분절적이란 끊어 적을 수 있다는 뜻이다. 음성은 사람에 따라 다르며, 같은 사람이라 하더라도 때와 장소, 상황에 따라 약간씩 다르다. 음성은 음절상의 위치에 따라서도 다르게 실현된다. 예를 들면 '고기'에서 두 개의 /ㄱ/은 표기상으로는 동일하지만 음성학적으로는 다른 소리이다. 음성은 물리적으로 다양하고 구체적인 실체라 할 수 있다. 음성은 음향과는 다르다. 음향은 자연에서 존재하는 대부분의 소리로, 비분절적인 소리이다. 울음소리, 기침 소리, 새가 지저귀는 소리 등이 그 예이다. '울음 소리'를 '울음 음성', '기침 소리'를 '기침 음성', '새가 지저귀는 소리'를 '새가 지저귀는 음성'이라고 하면 어색한 데에서 '음성'과 '소리'의 차이를 알 수 있다. 이런 점에서 자연에서 나는 여러 소리들을 우리는 음성이라 하지 않는다.

자음과 모음

자음(consonant)은 공기가 입 안이나 코 안을 통해 바깥으로 빠져 나가면서 구강이나 비강 가운데 어느 부분에서 방해를 받는 소리이다. 반면 모음(vowel)은 아무런 장애 없이 성대 진동이 수반되어 조음되는 소리이다. 지각적인 면에서 보면 모음이 자음보다 훨씬 귀에 잘 들리고, 강세, 높이, 길이 등의 운율적 성질을 지닌다.

자음의 분류

자음은 기류가 입안에서 방해를 받고 나오는 소리인데 그 소리값(음가)은 방해를 받는 위치(조음위치)와 방해를 받는 정도 및 방법(조음방법)에 따라 결정된다.

1) 조음 위치에 따른 분류

양순음(bilabial): 아랫입술이 윗입술에 닿아 나는 소리이다. 영어의 [p], [b], [m], 한국어의 [ㅂ], [ㅃ], [ㅍ], [ㅁ] 등이 예이다.

순치음(labiodental): 아랫입술이 윗니에 닿아 나는 소리이다. 영어의 [f], [v] 등이 예이고 한국어에는 없는 소리이다.

치음(dental): 혀끝을 윗니와 아랫니 사이, 혹은 윗니 뒤에 대고 내는 소리이다. 영어의 [θ], [ð], 불어의 [t], [d], [n], [s] 등이 예이다.

치경음(alveolar): 혀끝을 윗잇몸에 대어 내는 소리이다. 한국어의 [ㄷ], [ㄸ], [ㅌ], [ㅅ], [ㄹ], 영어의 [t], [d], [n], [s] 등이 예이다.

경구개음(palatal): 혓몸이 경구개에 닿거나 접근하여 나는 소리이다. 불어의 [ɲ]가 여기에 속한다. 한국어에는 [ㅈ], [ㅊ] 등이 있다. 독일어 'ich'의 [ch]가 경구개음으로 발음되며, 영어의 [ʃ], [ʒ], [ʧ], [ʤ] 등도 여기에 속한다.

연구개음(velar): 혀의 뒷부분이 연구개에 닿거나 접근하여 나는 소리이다. 한국어 [ㄱ], [ㅋ], [ㅇ], 영어의 [k], [g], [ŋ] 등이 그 예이다.

성문음(glottal): 성문이 폐쇄되거나 마찰되어 나는 소리이다. 한국어의 [ㅎ], 영어의 [h] 등이 예이다.

2) 조음 방식에 따른 분류

입 안의 어느 부분이 완전히 폐쇄되어 조음되느냐, 폐쇄가 불완전하게 이루어져 마찰되면서 조음되느냐에 따라서, 그리고 입 안이 벌어진 상태로 어떤 부분의 방해를 받아 조음되느냐에 따라 자음이 분류된다.

파열음(plosive, 또는 폐쇄음 stop): 조음기관 가운데 한 부분이 폐쇄되었다가 파열되면서 나는 소리이다. 입 안의 어떤 위치에서 공기의 흐름을 폐쇄시킨 후 그 상태를 유지하면 압력이 커져 결국 터지는데 이것이 파열음의 조음 과정이다. 영어 [p], [t], [k], 한국어 [ㄱ], [ㄷ], [ㅂ] 등이 여기에 속한다.

마찰음(fricative): 발음 기관 사이가 아주 좁혀진 상태에서 마찰되어 나는 소리로 영어 [f], [v], [s], [z], 한국어 [ㅅ], [ㅆ], [ㅎ] 등이 예다.

파찰음(affricative): 어떤 조음 기관이 폐쇄되었다가 파열될 때 그 속도가 느려 결과적으로 마찰이 일어나면서 조음되는 소리이다. 앞부분은 파열음과 비슷하고 뒷부분은 마찰음과 비슷한 방식으로 만들어지는 소리이다. 영어 [ʧ], [ʤ], 한국어 [ㅈ], [ㅊ] [ㅉ] 등이 예이다.

유음(liquid): 유음(流音)은 액체(liquid)와 같이 부드러운 소리라는 뜻이며 [l]과 [r], 한국어 [ㄹ]이 여기에 해당한다.

활음(glide): 한 모음에서 다른 모음으로 미끄러지면서 조음점이 아주 높아져서 나는 소리이다. 일반적으로 반모음이라고 하고, 반자음(semi-consonant)이라고도 한다. 불어의 [j], [w], [ɥ]가 있다. 한국어의 이중 모음 [야], [유]의 첫 음은 [j]이고, [와], [왜]의 첫 음은 [w]다.

유성음(voiced)과 무성음(voiceless): 성대 진동 유무에 따라 유성음과 무성음으로 구분한다. 성대 진동은 성대가 아주 좁혀진 상태에서 공기가 성문을 빠져 나가면서 일어난다. 영어의 [b], [d], [g], [n], [l] 등은 유성음이고 [p], [t], [k], [s] 등은 무성음이다. 한국어에는 유성과 무성의 구별이 뚜렷하지 않다. [ㄱ], [ㄷ], [ㅂ]이 [ㄴ], [ㅁ], [ㄹ]과 모음 사이에 있을 때는 유성음으로 발음되고, 단어 첫 위치에서는 무성음으로 발음된다.

유기음과 무기음: 기(氣)의 유무에 따라 유기음과 무기음으로 분류할 수 있다. 기(氣)는 폐쇄된 음성기관을 파열시킬 때, 성문 사이가 열리면서 뒤이어 따라 나오는 공기를 말한다. 예컨대 [p] 소리를 발음해 보면 [흐] 비슷한 소리가 뒤따라 나오는 것을 알 수 있는데 이것이 기(氣)라고 하는 것이다. 의도적으로 하지 않더라도 이 기류가 따라 나오는데, [p]를 [프~]처럼 길게 발음해 보면 기를 더 잘 이해할 수 있을 것이다. 한국어 [ㅊ], [ㅍ], [ㅌ], [ㅋ]은 유기음이고 [ㅉ], [ㅃ], [ㄸ], [ㄲ]은 무기음이다. 영어의 [p], [t], [k]은 유기음이다. 유기음은 [p^h]와 같이 발음기호 오른쪽 위에 [^{h}]로 표시한다.

구강음과 비강음: 음성이 만들어지는 과정에서 공기[기류]가 입을 통과하느냐 코를 통과하느냐에 따라 구강음과 비강음으로 구분할 수 있다. 음성은 공기 없이 만들어지지 않는다. 폐에서 생긴 공기가 여러 발음 기관과 작용하여 음성이 만들어지는 데 공기가 입안을 통해 밖으로 나오느냐 아니면 코 안을 통과해 밖으로 나오느냐에 따른 음의 분류이다. 한국어의 [ㅁ], [ㄴ], [ㅇ]과 영어의 [m], [n], [ŋ]이 비강음이다. 두 입술을 막고 공기를 코로 내보내면 [m] 소리가 되고 혀의 모양을 [t, d]와 같이 하면서 공기를 코로 내보내면 [n] 소리가 된다. 혀의 모양을 [k, g]와 같이 하면서 공기를 코로 내보내면 [ŋ] 소리가 된다. 이상을 정리하여 다음과 같이 자음분류표를 만들 수 있다.

조음방법＼조음위치	양순음	순치음	치경음	경구개음	연구개음	성문음
파열음	b p		d t		g k	ʔ
마찰음		v f	z s	ʒ ç ʃ	x	h
파찰음			ts	ʤ ʧ		
비 음	m		n		ŋ	
유음 설측음			l			
유음 탄설음			r			

[자음 분류표]

모음의 분류

모음은 다음과 같이 혀의 높낮이와 앞뒤 위치 그리고 입술의 모양등 세 가지 기준으로 분류한다.

1) 입 안의 벌어짐의 정도: 혀가 입천장에 얼마나 가까이 접근해 있느냐 또는 얼마나 떨어져 있느냐에 따라서 분류된다. [혀의 높낮이]
2) 혀 정점의 앞뒤 위치: 혀의 가장 높이 올라간 부분이 혀의 앞쪽인가 뒤쪽인가에 따라서 분류된다. [혀의 앞뒤]
3) 입술의 원순성: 입술이 동그랗게 되어 조음되는가 아니면 평평하게 펴져 조음되는가에 따라서 분류된다. [입술모양]

혀의 높낮이에 따라 고모음, 중모음, 저모음으로 나눌 수 있고 혀의 앞뒤 위치에 따라 전설모음, 중설모음, 후설모음으로 구분하며, 원순성에 따라 원순모음과 평순모음으로 나눈다. 대표적인 모음을 혀의 위치에 따라 정리하면 다음 표와 같다. /u, o/는 원순모음이고 나머지는 평순모음이다. 이 표에서 /æ/와 /ə/는 우리가 흔히 영어의 발음기호에서 보는 것이고 /ɨ/는 국어의 /으/에 가까운 소리이다.

	전설	중설	후설
고모음	i	ɨ	u
중모음	e	ə	o
저모음	æ	a	

이러한 모음의 위치를 다음과 같이 사각형으로 나타내기도 하는데 이를 모음 사각도라고 한다. 이 그림은 8가지 대표적인 모음의 상대적 위치를 나타내는 것이며 실제적인 위치는 언어마다 조금씩 다르다. 예를 들면 똑같이 [a]로 표시하는 모음이라도 한국어와 영어의 위치가 정확히 같지는 않다. 위치

가 같지 않다는 말은 소리가 다르다는 뜻이다. 영어의 /æ/와 한국어의 /애/, 영어의 /e/와 한국어의 /에/도 비슷한 것 같지만 다르다. 또 /ə/를 한국어의 /어/와 비슷한 소리라고 생각하는 사람이 많은데 이 둘은 전혀 다른 소리이다. 외국어를 배울 때는 따라서 그 언어의 모음을 정확히 익혀야 한다.

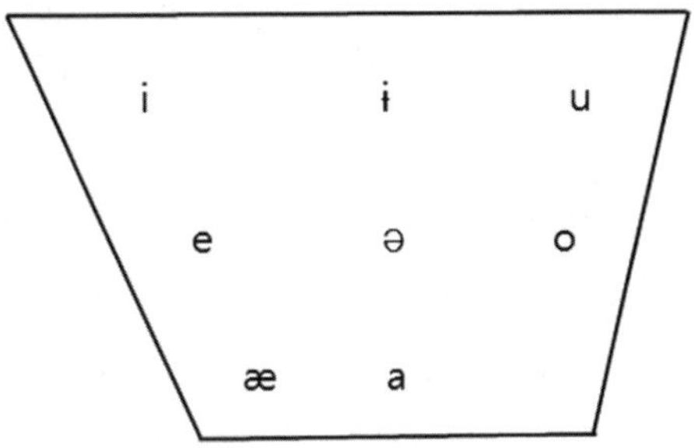

모음사각도

반모음과 이중모음

모음에는 반모음과 이중모음이라는 것이 있다. 반모음은 활음, 과도음이라고도 하는데 단모음과 결합하여 이중모음을 만든다. 반모음에는 [j], [w] 2개가 있다. [j]는 혀가 /i/의 자리에서 다른 자리로 옮겨 갈 때 발음되는 반모음이며, [w]는 혀가 /o, u/의 자리에서 다른 자리로 옮겨 갈 때 발음되는 반모음이다. 반모음은 자음과 모음의 중간 단계의 소리라는 뜻이며 반자음이라고도 한다. 한국어에 이중모음은 11개가 있는데 보통 반모음과 단모음의 결합으로 이루어진다. 이중모음은 발음하는 동안에 혀가 움직이거나 입술의 모양이 변한다.

음 운

음성과 음운

앞에서 우리는 음성에 대해 살펴보았는데 언어학에서는 '음성'과 구분하여 '음운'이라는 개념을 사용한다. 음성과 음운은 둘 다 인간 언어의 소리인데 음성이란 소리의 물리적인 측면을 말하고 음운이란 소리의 기능적인 측면을 말한다. 예를 들면 우리는 전화 목소리만 들어도 그 사람이 누구인지 알 수 있는데, 그것은 그 사람이 독특한 '음성'을 가지고 있기 때문이다. 한편 사람들이 각각 다른 음성으로 말을 해도 우리는 모두 잘 알아듣는데, 그 이유는 음성은 비록 다를지라도 이들이 의사전달이라는 기능면에서는 같기 때문이다. 음성학적으로는 다른 소리이지만 음운론적으로는 같은 소리라는 뜻이다. 즉, 음성학적으로는 작은 물리적 차이도 다른 소리로 간주하지만 음운론적으로는 의미구별의 기능이 있을 때만 다른 소리로 간주한다.

음성은 개별 언어에 따라 차이가 없으나 음운은 개별 언어에 따라 많이 다르다. 예를 들면 '달'과 '달이'에서 'ㄹ'이 두 개 있는데 음성학적으로, 즉 물리적으로는 분명히 다른 소리이다. 음성분석기로 분석을 해 보면 다른 소리로 나타난다는 뜻이다. 발음기호로 나타내자면 하나는 [l]이고 하나는 [r]이다. 그런데 한국 사람들은 이 두 가지 소리를 같은 소리로 인식한다. 한국어에서는 이들이 하나의 소리(음운/음소)인 것이다. 한편 미국 사람들은 이들을 2개의 다른 소리로 인식한다. 영어에서는 이들이 2개의 다른 소리(음운/음소)가 되는 것이다. 그래서 영어에서는 *read*와 *lead*가 다른 단어인데, 한국어에서는 '라면'을 [lamyeon]이라고 하든 [ramyeon]이라고 하든 같은 단어로 인식한다.

언어현상을 조금 자세히 들어다 보면 이러한 예는 수도 없이 많다. [ㄷ, ㄸ, ㅌ], [ㅈ, ㅉ, ㅊ]은 음성학적으로 각각 다른 소리이다. 한국어에서는 이들을 다른 소리로 인식하며 [달-딸-탈], [자다-짜다-차다]은 모두 다른 단어이다. 그러나 영어에서는 이 소리들을 구분하지 않으며 미국 사람들은 [달-딸-탈], [자다-짜다-차다]를 같은 소리로 인식한다. [사다-싸다]도 마찬가지이다. 우리는 이를 다음과 같이 표로 정리할 수 있다.

언어에 따른 음성과 음운의 차이

	음성	음운(음소)	
		한국어	영어
l / r	2개의 소리	1개의 음소	2개의 음소
f / v	2개의 소리	0개의 음소	2개의 음소
ㅅ / ㅆ	2개의 소리	2개의 음소	1개의 음소
ㅋ / ㄲ	2개의 소리	2개의 음소	1개의 음소

인간의 소리는 신비한 면이 있다. 어렸을 때 모국어에서 배운 소리는 잘 구별하지만 그렇지 않으면 이상할 정도로 구별을 잘 못한다. 위에서 말한 대로 미국 사람들은 [달–딸–탈], [자다–짜다–차다]를 구별하지 못하며 한국어의 이 소리들을 배우려면 애를 먹는다. 반대로 한국 사람들은 [l / r]을 잘 구별하지 못하며 *[is – joke]*에서 [s, j]의 소리 [z, ʤ]도 잘 구별하지 못하고 이 소리들을 배우기가 쉽지 않다.

이와 관련해서 한 가지 더 살펴볼 것은 유성음과 무성음의 구별이다. 음성을 분류할 때 우리는 성대 진동의 여부에 따라 유성음과 무성음으로 구분하였다. 이는 아주 기본적인 구분처럼 생각되지만 우리나라 사람들의 경우 보통 유성음과 무성음을 구별하는데 애를 먹는다. 그 이유는 우리나라 사람들이 특별히 소리 감각이 없어서가 아니고 우리말의 특징 및 우리의 언어 습관 때문이다. 즉 우리말에서는 유성음과 무성음의 구별이 중요하지 않기 때문에 전문가가 아닌 일반인들은 그 차이를 인식하기가 힘들다. 가령 '감기' 할 때 두 개의 /ㄱ/이 앞의 것은 무성음이고 뒤의 것은 유성음인데 우리는 보통 이 차이를 의식하지 못하고 언어생활을 하고 있는 것이다. 그러나 서양 사람들은 이 두 가지 /ㄱ/의 차이를 쉽게 인식하며 자기네의 문자로 옮겨 보라고 하면 [kamgi]로 적는다. 서양 사람들이 이 차이를 쉽게 느끼는 것은 그들의 언어에서 이 차이가 중요하기 때문에 이에 대해 잘 훈련된 결과라고 할 수 있다.

음소와 운소

이와 같이 우리는 말소리를 의미의 구별과 관련해서 생각할 수 있는데 이는 개별 언어에 따라 다르다. 이때 개별 언어에서 의미를 구별해 주는 소리의 최소 단위를 음소라고 한다. [l / r]은 영어에서는 2개의 음소이고 한국어에서는 1개의 음소이다. 반대로 [ㅅ / ㅆ]는 영어에서는 1개의 음소이고 한국어에서는 2개의 음소이다. 음소는 자음과 모음으로 구분된다. 의미의 구별은 이러한 낱소리 말고도 소리의 길이, 높이, 억양, 강세 등을 통해서도 구별되는데 이러한 것들을 운소(韻素)라고 한다. 위에서 말한 음운(音韻)은 음소와 운소의 머리글자를 딴 말이다.

어떤 소리가 음소인지 아닌지를 알아보는 좋은 방법은 최소대립쌍(minimal pair)를 찾아보는 것이다. 최소대립쌍은 두 개의 낱말이 하나의 소리로 구별되는 것을 말한다. '달'과 '발'은 같으나 /ㄷ/과 /ㅂ/이 다름으로 해서 뜻이 달라진다. '살'과 '설'은 모음 /ㅏ/와 /ㅓ/의 차이로 뜻이 달라진다. 이때 '달'과 '발', '살'과 '설'은 각각 최소대립쌍이라고 하며, 여기서 구분되는 /ㄷ, ㅂ/, /ㅏ, ㅓ/는 음소가 되는 것이다. [달–딸–탈], [자다–짜다–차다], [사다–싸다]도 최소대립쌍들이며, 이러한 방식으로 한 언어의 자음과 모음들이 음소로 결정된다. 영어의 경우, *fine*과 *vine*, *sip*과 *zip*, *chunk*와 *junk* 등에서 각각 /f/와 /v/, /s/와 /z/, /ch/와 /j/의 차이에 의해 뜻이 달라지므로 이들 역시 영어의 음소라고 할 수 있다.

말소리 중에는 자음과 모음처럼 쪼갤 수 있는 요소가 있는 반면 쪼갤 수 없는 요소들이 있다. 장단, 고저, 강세, 억양 등이 그것이다. 이러한 요소를 초분절음 또는 운소(운율적 요소; prosody)라 한다. 한국어에서는 소리의 길이, 억양 그리고 연접이 이에 해당한다. 소리 길이는 모음에서 나타나며 보통 /: /으로 표시한다. [눈:](雪) – [눈](目)이 한 가지 예이다. 억양에는 말의 끝을 올리는 것과 내리는 것 두 가지가 있다. 억양은 말의 뜻을 이해하는 데 중요한 구실을 하며, 때로는 문법적 기능을 구분하기도 한다. 예를 들면 "누나는 가"라는 말은 억양에 따라 의문문, 명령문, 서술문이 될 수 있다.

연접(juncture)이란 분절음이 다음 분절음으로 이행하는 이음법을 말하며 휴지(pause)의 위치와 관련이 있다. 예를 들어 '강원도산나물'의 의미가 이중적인데, '도'와 '산' 사이에서 휴지를 두면 '강원도 + 산나물'이 되고, '산'과 '나' 사이에 휴지를 두면 '강원도산 + 나물'이 된다. 강세(stress)는 연속된 음성들 중 어떤 부분을 강하게 발음하는 것을 말하며 이 역시 의미를 구별하는 데 사용된다. 예를 들면, 영어의 단어 *export*는 강세의 위치에 따라 명사와 동사로 구별된다.

고저(pitch)는 음의 높낮이를 통해 단어의 뜻을 구별하는 운소로 성조(tone)라고도 한다. 일반적으로 영어에서처럼 강세를 받는 음절은 길어지면서 높게 발음된다. 그러나 강세가 주어지지 않는 음절은 짧고 낮게 소리 난다. 이 경우 소리의 고저는 단지 강세 및 길이와 결합하여 사용되며, 별도의 의미변별 기능은 없다. 그러나 이 성조가 중요한 의미변별 기능을 갖는 언어도 있다. 중국어가 대표적이다. 예를 들면 [mā]는 높게 일정하게 발음하면 '어머니'가 되고, 중간 높이에서 올라가는 [má]는 '마비시키다', 높은 높이에서 낮게 내리가는 [mà]는 '질책하다', 중간 높이에서 아래로 내려왔다 올라가는 [mǎ]는 '말[馬]'을 뜻한다. 이렇게 높낮이에 의해 구별되는 언어를 성조언어라 한다. 우리나라 방언 중 경상방언, 함경방언 등에서도 이 높낮이가 의미를 구별하는 데 중요하게 작용한다.

한국어와 영어의 음운체계

음운 또는 음소의 목록은 언어마다 일정하게 정해져 있다. 한 언어에서 쓰이는 자음과 모음의 수가 정해져 있다는 뜻이다. 이것이 그 언어의 음운체계이다.[12] 한국어의 경우 한글의 자음과 모음이 바로 음소목록이며 이를 정리하면 다음과 같다.

12) 엄밀히 말하면 운소도 음운체계에 포함되는 것이지만 여기에서는 음소체계만 고려한 것이다.

[한국어의 음운체계]

자음 19개: ㄱ ㄴ ㄷ ㄹ ㅁ ㅂ ㅅ ㅇ ㅈ ㅊ ㅋ ㅌ ㅍ ㅎ ㄲ ㄸ ㅃ ㅆ ㅉ

단모음 10개: 아, 에, 이, 오, 우, 애, 으, 어, 위, 외

이중모음 11개: 야, 여, 요, 유, 의, 와, 워, 왜, 웨, 예, 얘

영어는 A~Z까지 26개의 글자를 사용하는데 영어의 음소는 몇 개일까? 우선 영어의 알파벳 26자를 자음자와 모음자로 나누어 보면 다음과 같다. 이 가운데 /q/는 /k/와 기능이 같고 /x/는 /ks/의 결합이기 때문에 영어 자음자는 18개로 볼 수 있다. 또 모음자에서 /y/는 /i/와 기능이 같기 때문에 영어의 모음자는 5개로 볼 수 있다.

[영어 알파벳의 자음자와 모음자]

자음자: b, c, d, f, g, h, j, k, l, m, n, p, (q), r, s, t, v, w, (x), z (18/20개)

모음자: a, e, i, o, u, (y) (5/6개)

그러면 영어의 모음은 5개이고 자음은 18개일까? 그렇지 않다. 우선 영어의 모음은 단모음이 8개이고 이중모음이 8개이다. 단모음의 목록과 예를 보면 다음과 같다.

영어의 단모음: 8개

/a/	father, calm, can't, car, apart
/e/	edge, red
/i/	eat, sleep, baby, swim
/o/	or, daughter, more
/u/	put, full, ooze, shoe, suit
/æ/	apple, man
/ʌ/	under, enough, butter
/ə/	above, support, possible, mother

위 표를 보면 한국어의 상황과 매우 다르며 무엇인가 혼란스럽다는 느낌을 갖게 되는데 그 이유는 무엇일까? 이는 영어가 글자와 발음 사이에 큰 거리가 있기 때문이다. 한국어의 경우 글자와 발음이 정확히 1 : 1로 대응되며 글자가 곧 발음기호이다. 그러나 영어는 글자가 있어도 그 단어를 처음 본 사람은 어떻게 읽어야 할지 모른다. 즉 글자가 있어도 이를 읽기 위해서는 발음기호가 따로 필요한 것이다. 영어는 글자와 발음기호가 따로 있는 아주 특이한 상황이라고 할 수 있으며 유럽의 여러 언어는 물론 지구상의 어떤 언어에서도 이러한 예는 찾아 볼 수 없다.[13]

영어에 왜 이러한 상황이 벌어졌을까? 여기에는 크게 세 가지 원인이 있을 것으로 보인다. 첫째는 알파벳이 영어의 소리체계에 맞지 않기 때문이다. 즉 알파벳은 원래 고대 로마인들이 그들의 언어(라틴어)를 표기하기 위해 고안한 것이며 라틴어에는 모음이 5개이기 때문에 모음자가 5개만 있는 것이다. 그런데 이 5개의 글자로 영어의 모음 8개를 표기하기는 근본적으로 불가능한 것이어서 영어에서는 글자와 소리 사이에 불일치가 있을 수밖에 없다. 둘째는 영어의 복잡한 역사 때문이다. 역사적으로 영어는 이질적인 언어들, 특히 독일어와 프랑스어의 혼합으로 형성된 언어이다.[14] 양쪽에서 들어온 어휘들을 그대로 표기하면서 발음은 영어식으로 바꾸는 과정에서 문자와 발음 사이에 간극이 생겼을 것이다. 셋째는 영국인들의 보수적인 성향 때문이다. 언어의 소리는 시간이 가면서 변하는 것이어서 시간이 길어지면 소리와 글자 사이에 틈이 생기게 되어 있다. 이 틈이 많이 벌어지면 정부는 맞춤법을 바꾸어 주어야 한다. 그런데 보수적인 영국인들이 맞춤법을 바꾸지 않고 그대로 사용하면서 문자와 발음 사이에 거리가 멀어진 것이다.

영어의 자음의 상황은 모음보다는 조금 낫지만 글자와 발음 사이에 거리가 있는 것은 마찬가지이다. 영어에는 다음 표와 같이 24개의 자음이 있다.

---

13) 표의문자인 한자를 주로 사용하는 중국과 일본은 경우가 다르다.

14) 이에 대한 자세한 것은 29쪽 쉬어가기 참조.

이 표를 보면 [ch, sh, th]와 같이 글자는 2자인데 소리는 하나인 경우가 있고 [s]자의 경우 글자 하나가 /s, z, ʒ/처럼 3가지 소리를 나타낸다. 또 /ʤ/라는 소리는 [j, g, dg]의 세 가지 글자로 표현된다. 오늘날 영어는 세계어가 되어 현대인들에게 필수사항이 되어 있는데 이와 같은 문자와 발음 사이의 불일치가 영어 학습을 특별히 힘들게 하고 있는 것이다.

영어의 자음: 24개

/p/	put, supper, lip	/ʃ/	show, washing, cash
/b/	bit, ruby, pub	/ʒ/	leisure, vision
/t/	two, letter, cat	/h/	home, ahead
/d/	deep, ladder, read	/ʧ/	chair, nature, watch
/k/	can, lucky, sick	/ʤ/	jump, pigeon, bridge
/g/	gate, tiger, dog	/m/	man, drummer, comb
/f/	fine, coffee, leaf	/n/	no, runner, pin
/v/	van, over, move	/ŋ/	young, singer
/θ/	think, both	/l/	let, silly, fall
/ð/	the, brother, smooth	/r/	run, carry
/s/	soup, fussy, less	/j/	you, yes
/z/	zoo, busy, use	/w/	woman, way

음 절

음절(syllable)은 독립해서 발음할 수 있는 최소단위, 즉 최소 발음단위를 말한다. 음절은 기본적으로 하나의 모음을 가지고 있어야 하며 여기에 자음이 곁들여 질 수 있다. 즉 모음은 홀로 음절을 이룰 수 있지만 자음은 모음이 곁들여져야 음절을 이룰 수 있다. /ㅏ, ㅔ, ㅣ, ㅗ, ㅜ/ 등의 모음은 낱소리로 발음할 수 있지만 /ㄱ, ㄷ, ㅂ/ 등의 자음은 그 자체로 홀로 소리를 내기가 어렵고 모음이 곁들여져야 비로소 소리를 낼 수 있다는 뜻이다. 예를 들면 /ㅍ/ 소리를 내려면 우리는 보통 /프/라고 하며 그 안에 이미 모음이 들어 있는 것이다. 영어의 경우 글자를 나란히 옆으로 이어 쓰기 때문에 음절을 구분하기가 어려운데 한글의 경우 보통 글자 한 자가 하나의 음절이라고 생각하면 된다. 예를 들면 '경남대학교'는 5개의 음절, 즉 5개의 최소 발음단위로 이루어져 있다.

우리는 흔히 일본어는 받침이 없다고 알고 있고 일본 사람들이 한국어를 배울 때 받침을 발음하는데 어려움을 겪는 것을 자주 경험한다. '나카무라, 다나카, 후쿠오카, 오사카'와 같은 일본어 단어에서 그 예를 볼 수 있다. 따라서 일본 사람들은 '김치'를 잘 발음하지 못하고 흔히 '기무치'라고 한다. 중국 사람들에게서도 비슷한 현상을 관찰할 수 있는데 이는 세 언어의 음절구조 차이에서 기인한 것이다.

한편 한국어는 '잡, 밭, 각' 등과 같이 '자음 + 모음 + 자음'의 조합으로 음절을 이루는 일이 많은데 이 때 마지막 자음이 한글로 적으면 받침이 되는 것이다. 한국어에는 이러한 받침이 아주 많이 쓰이는데 일본어와 중국어는 그렇지 않다. 위 일본어 예에서 보는 것처럼 일본어의 음절들은 대개 '자음 + 모음'의 구조를 가지며[15] 음절들이 연결되어도 '자음 + 모음'의 구조가 반복되어 한국어 식의 받침이 거의 나타나지 않는다. 따라서 이러한 음절구조에 익숙한 일본 사람들이나 중국 사람들은 한국어를 발음할 때 어려움을 겪는다.

한국어의 음절구조

한국어의 음절은 자음(C), 모음(V)의 결합방식에 따라 다음과 같이 4가지 유형이 있다. 여기서 확인할 수 있듯이 한국어의 최대 음절 유형은 CVC형이며 이처럼 제한된 수의 유형만 나타나는 것은 음절구조와 관련된 제약 때문이다.

- V–형: 아, 오, 이, 우
- CV–형: 무, 초, 파, 호

15) 이러한 음절을 열린 음절, 즉 개음절이라고 한다.

- VC–형: 욱, 올, 음, 인
- CVC–형: 각, 몸, 성, 굴

한국어는 모음 앞과 뒤에 하나의 자음이 허용된다고 하더라도 다음과 같이 음성환경에 따라 자음의 종류에 제약이 있다.

1) /ŋ/은 어두, 더 나아가 음절 첫머리에는 분포될 수 없다. 음절 머리에 연구개 비음 /ŋ/이 오는 것은 생리적으로 어려우나 베트남어 등에서는 쓰이기도 한다.
2) /ㄹ/은 어두에 분포되기 어렵다. 외래어 '로봇, 라디오, 립스틱' 등과 신조어인 '라면' 등은 예외적인 경우이다.
3) /ㄴ/은 /ㅣ, ㅑ, ㅕ, ㅛ, ㅠ/ 등의 모음과 결합하면 어두에 오기 어렵다. 외래어 '뉴스', 의성어 '냠냠' 등은 예외적인 경우이다.
4) 두 개 이상의 자음이 동시에 어두에 올 수 없다. 이에 따라 영어 'strike'를 한국어로 표기하면 '스트라이크'가 된다. 영어에서 1음절어가 한국어에서는 5음절어가 된 것이다.
5) 음절 끝에도 자음이 하나밖에 올 수 없다. 표기상으로는 '닭, 없다'처럼 음절 끝에 자음을 두 개 겹쳐 쓰지만 발음에 있어서는 '닥, 업'과 같이 하나의 자음만이 허용된다. 이에 따라 영어의 1음절어 'milk'를 한국어로 표기하면 '밀크'와 같이 2음절어가 된다.

영어의 음절구조

영어는 한국어에 비하면 훨씬 더 복잡한 음절구조를 허용한다. 한국어는 음절 머리에 자음이 하나밖에 올 수 없으나 영어는 세 개까지 올 수 있고 음절 끝에서는 자음을 네 개까지 허용한다. 영어의 음절 유형 및 관련 제약은 다음과 같다.

- V–형: a, eye
- CV(CCV, CCCV)–형: the, free, screw
- VC(VCC, VCCC, VCCCC)–형: of, ant, asks, bursts, twelfths
- CVC(CCVC, CCCVC–형: can, stop, street, spring

1) 한 음절에 여러 개의 연속 자음을 허용한다 하더라도 이때 자음의 종류와 순서가 제한되어 있다.
2) 세 개의 자음이 음절 머리에 올 경우 첫 자음은 /s/이고 그 다음은 /p, t, k/ 중의 하나이며, 또 그 다음은 /r, l/ 중의 하나이다.
3) 자음 둘이 음절 머리에 올 경우 첫소리가 /b/이면 두 번째 자음은 유음, 즉 /r/이나 /l/이다.

중국어의 음절구조

중국어의 음절 유형 및 관련 제약은 다음과 같다.

- V(VV, VVV)–형: 阿 a, 敖 ao, 要 yao
- CV(CVV, CVVV)–형: 打 da, 落 luo, 消 xiao
- VC(VVC)–형: 安 an, 溫 wen, 英 ying, 王 wang
- CVC(CVVC)–형: 論 lun, 現 xian, 東 tung, 平 ping

1) 위에서 마지막 두 개의 구조는 음절 끝에 자음이 오는 것인데 한글식으로 말하면 받침이다. 그런데 중국어에는 이 받침으로 올 수 있는 소리가 /n/과 /ng/ 두 가지밖에 없다. 이 /n, ng/ 소리는 모음에 가장 가까운 자음이다.
2) 음절 끝에 /n/과 /ng/만 올 수 있다는 것은 VC/CVC 구조가 극히 제한적으로 나타난다는 뜻이다. 한편, 중국어에서 다른 자음이 받침으로 안 오는 것은 사실이지만 /n/과 /ng/이 받침으로 아주 자주 나타나기 때문

에 실지로 받침이 많은 것처럼 들린다.[16]

3) 이 외에도 중국어는 음절과 관련된 제약이 아주 많고 엄격한 편이다. 예를 들면 /f/, /g, k, h/, /z, c, s/, /zh, ch, sh, r/은 /i/나 /ü/와 결합하지 않는다.

일본어의 음절구조

일본어의 음절 유형 및 관련 제약은 다음과 같다.

- V–형: あ[a]
- CV–형: か[ka] きゃ[kya]
- CVC–형: せんだい[sendai] ぎんざ [kinja] おかあさん[okasang]

1) 일본어는 흔히 받침이 없다고 하는데 이는 음절구조와 연관이 있다. 즉 위의 마지막 구조 CVC–형이 받침이 오는 구조인데 이러한 구조가 일본어에 거의 나타나지 않기 때문에 받침이 없는 것처럼 보이는 것이다.
2) CVC–구조, 즉 받침 구조는 극히 제한적으로 나타나며 중국어와 마찬가지로 받침으로 올 수 있는 자음은 /n, ng/ 밖에 없다. 중국어와 큰 차이가 있다면 일본어는 이 받침 구조조차도 아주 드물게 나타난다는 것이다.
3) 한국어와 같이 복잡한 음절구조의 언어로부터 단어를 차용할 때 일본어는 모음을 넣어서 자기식으로 만들어 쓴다. 이때 '김치'는 '기무치'가 되고 'Hitler'는 '히토라'가 된다.

음운현상

서로 다른 성격을 지닌 음소들이 만나면 충돌이 일어나 소리가 변할 수 있다. 즉, 소리들이 결합할 때 환경에 따라 실제 소리 값이 결정되는데, 음운현

16) 중국의 지명이나 사람 이름을 보면 이를 알 수 있다.

상이란 이때 소리가 바뀌거나 없어지는 등 변화를 겪는 것을 말한다. 이는 일상생활에서 어떤 단어를 발음할 때 실제 표기와는 다르게 발음되는 현상과 관련이 있다. 표기대로 발음되는 단어도 많지만 실제 언어생활에서는 표기와 달리 발음되는 경우도 많다. 예컨대 국어에서 '국문'으로 표기하면서 실제 발음은 [궁문]으로 한다. 이는 'ㄱ'과 'ㅁ'이 연이어지면서 생기는 현상이다.

이러한 소리의 변화는 대개 동화현상이다. 앞이나 뒤의 소리를 닮아서 그 소리와 비슷하게 변한다는 뜻이다. 위 [국문 > 궁문]의 예에서는 받침의 /ㄱ/이 뒤에 오는 /ㅁ/을 닮아서 /ㅇ/으로 변한 것이다. 즉 /ㄱ/이 /ㅁ/이 갖는 비음(콧소리)라는 특징을 갖게 되면 /ㅇ/이 된다. 이러한 음운 동화현상에는 구개음화, 비음화, 유음화, 움라우트 등이 있고 그밖에 주목할 만한 음운현상으로 자음군 단순화, 모음조화, 양순음화, 연구개음화, 동일 모음생략 등이 있다. 이 가운데 몇 가지를 소개하면 다음과 같다.

구개음화

구개음화는 엄밀히 말하면 경구개음화이다.[17] 즉 경구개음이 아닌 자음이 뒤에 오는 모음 /ㅣ/의 영향을 받아 경구개음 /ㅈ, ㅊ/으로 바뀌는 현상이다. 국어의 '해돋이 > 해도지, 밭이 > 바치, 길 > 질, 키 > 치' 등의 변화가 그 예이다. 모음 /ㅣ/가 경구개 부근에서 소리 나기 때문에 다른 자음들이 이 소리를 닮아서 경구개음이 되는 것이다. 영어의 *habitual, don't you*? 등에서 볼 수 있는 /t/의 변화도 같은 현상이다.

비음화

구강음이 주변의 비음의 영향을 받아서 비음이 되는 현상이다. [ba]와 [ma]의 [a]는 같은 [a]이나 [ma]의 [a]는 주변 비음 [m]의 영향을 받아서 비음으로 발음된다. 한국어의 '첫눈 > 천눈, 무럭무럭 > 무렁무럭, 속는다 > 송는다' 등도

17) 구개음화는 영어로 *palatalization*이라고 하는데 *palatal*은 경구개를 뜻한다.

마찬가지다. 한편 영어에는 비음화 현상이 없으나 비음화에 습관이 된 한국인은 영어를 발음할 때도 무의식 중에 비음화 시키는 경향이 있다. 예를 들면 *top model*[탑 모델]을 '탐 모델'로, *good morning*[굿 모닝]을 '군 모닝'으로 발음하는 경향이다.

유음화

/ㄹ/과 /ㄴ/이 만났을 때 /ㄴ/이 유음 /ㄹ/로 바뀌는 현상을 말한다. '천리 > 철리, 논리 > 놀리, 칼날 > 칼랄, 불능 > 불릉' 등이 예이다. 이 현상도 한국어에 발달한 음운 현상으로 한국 사람은 다른 언어에서도 이런 식으로 발음하려는 경향이 있다. 예를 들면 한국 사람은 영어의 *Henry*[헨리]를 '헬리'로 발음하려고 할 것이다.

움라우트(Umlaut)

움라우트 또는 /ㅣ/–모음 역행동화는 뒤에 오는 모음 /ㅣ/의 영향으로 그 앞의 모음을 전설모음화 시키는 것을 말한다. 이때 /ㅏ, ㅓ, ㅗ, ㅜ/가 /ㅐ, ㅔ, ㅚ, ㅟ/로 바뀐다. '아비 > 애비, 먹이다 > 멕이다, 고기 > 괴기' 등이 그 예이다. 움라우트라는 용어는 독일어에서 온 말로 원래 '변음'이라는 뜻이다. 즉 '소리가 바뀐다'는 뜻인데, 독일어의 대표적인 변음현상이 /ㅣ/ 모음 역행동화로서 독일 학자들이 이를 '움라우트'라고 부르던 것이 언어학에서 일반적인 용어로 쓰이게 된 것이다.

모음조화

모음조화는 '촐랑촐랑, 출렁출렁'처럼 앞뒤 음절에 같은 계열의 모음끼리 나타나는 현상이다. 현대 국어에서는 /ㅏ/와 /ㅗ/가 양모음 계열로 묶이고, 나머지는 음모음 계열로 묶이는 특징이 있다. 모음조화는 '닦다–닦았다, 먹다–먹었다'와 같은 동사변화에서도 나타난다. 이 현상은 모든 언어에서 나타나는 것이 아니고 우랄–알타이어 계통의 언어에서 나타나는 현상이며 영어 등 유럽 언어에 대해 한국어가 갖는 특징이라 하겠다.

자음군 단순화

자음군 단순화는 음절 끝에 두 개의 자음이 놓일 때 이 중 하나가 탈락하는 음운 현상이다. 즉 한국어의 음절 끝에는 표기상 2개의 자음이 올 수 있으나 발음을 할 때는 어떤 경우를 막론하고 1개의 자음만 실현된다. '닭과 > 닥꽈, 읽고 > 일꼬, 넓다 > 널따' 등이 그 예이다. 국어의 음절 끝에 올 수 있는 자음이 /ㄱ, ㄴ, ㄷ, ㄹ, ㅁ, ㅂ, ㅇ/ 등 7개로 한정되는 제약은 이와 관련된다.

한국어 음운체계의 특징

인간이 낼 수 있는 소리는 아주 다양하며 각 언어는 그 가운데 일부를 사용하고 있다. 언어에 따라 사용하는 소리의 수와 종류가 다르다. 예를 들면 아랍어는 [a, u, i] 3개의 모음만 사용하며 라틴어와 일본어에는 [a, e, i, o, u] 등 5개의 모음이 있는데 반해 한국어는 21개의 모음이 있다. 이와 관련하여 앞에서 이미 한국어 음운체계의 특징에 대해 몇 가지 언급한 바 있는데 이 단원에서는 이를 조금 더 자세히 정리하고자 한다.

한국어 자음의 특징

한국어는 파열음, 파찰음 계열의 소리가 3원대립을 이루는 언어이다. '달–탈–딸, 갈–칼–깔, 자다–차다–짜다'와 같은 평음–격음–경음의 대립이 그 예이다. 영어를 비롯한 유럽 언어들과 중국어, 일본어 등은 이 계열의 소리에서 [b–p, d–t, g–k] 등처럼 유성음과 무성음의 2원대립을 보인다. 이 경우 2원대립 언어의 화자들은 3원대립 언어를 배울 때 큰 어려움을 겪는다. 한편 한국어는 [l]과 [r]의 구별이 없고 [f], [v] 등의 마찰음이 발달해 있지 않아 한국인들이 이러한 소리를 배우려고 할 때 힘드는 것이다.

언어에 따라 음운현상도 다르다. 예컨대 영어에는 자음 사이의 동화가 거의 일어나지 않기 때문에 자음과 자음이 만나도 영향을 주지 않으나 한국어에는 많이 나타나는 현상이다. 예를 들면 한국인들은 영어 'good man'은 '굳맨'으로 발음해야 하는데 '군맨'으로 발음하는 경향을 보인다.

한국어 모음의 특징

한국어의 모음은 단모음 10개(아, 에, 이, 오, 우, 애, 으, 어, 위, 외)와 이중모음 11개(야, 여, 요, 유, 의, 와, 워, 왜, 웨, 예, 얘)의 체계를 갖는다. 아랍어 3모음 체계, 라틴어와 일본어 5모음 체계 등에 비하면 한국어는 모음이 많이 발달해 있는 셈이다. 특히 [어, 으] 및 이와 연관된 이중모음 [여, 의]는 우리 주변 언어에서 찾아보기 어려운 독특한 모음으로 외국인이 한국어를 배울 때 매우 배우기 힘들어 하는 소리이다. 한편 한국 사람 가운데서도 단모음 /외, 위/를 이중모음으로 발음하는 경향이 강하고, 호남지역 방언 사용자들은 /에/와 /애/를 잘 구별하지 못한다. 특히 경상지역 방언은 모음의 사용이 아주 제한적이다. 예를 들면 /으/ 모음의 발음을 못해서 '의사'를 '이사'라고 한다. 또 이중모음의 발음을 잘 못해서 '관광산업'을 '강강산업'이라고 한다. 같은 나라 안에서도 방언에 따라 이처럼 소리의 체계가 다른 것이다.

한국어 음운결합(음절구조)의 특징

소리가 결합해서 낱말이 되고 낱말이 결합해서 문장이 되는데 언어에 따라 소리를 결합하는 방식에 차이가 있다. 앞에서 우리는 이를 음절구조라고 하였다. 일본어의 경우 대부분 '자음 + 모음 + 자음 + 모음'의 결합방식을 취하고 있다. 이는 가장 간단한 소리 결합방식이라고 할 수 있다. 반면에 한국어는 자음과 모음이 훨씬 다양한 방식으로 섞여서 나타난다. 한국어는 복잡한 음절구조를 가지고 있다는 뜻이다. 이에 따라 한국 사람들이 일본어의 음절구조를 익히기는 쉬운데, 일본 사람들이 한국어의 음절구조를 배우기는 매우 어렵다. 중국어도 일본어에 가깝기 때문에 중국 사람들이 한국어의 음절구조를 익히기도 어렵다. 영어도 상당히 복잡한 음절구조를 가지고 있어서 중국 사람이나 일본 사람들보다 한국 사람이 영어 발음 배우기가 쉽다. 이에 대해 보다 자세한 것은 이미 앞의 '음절'편에서 기술한 바 있다.

음운현상

위에서 우리는 다양한 음운현상에 대해 살펴보았는데 이에 대해 한국어의 입장에서 짚고 넘어갈 것이 있다. 첫째, 한국어는 소리의 결합구조, 즉 음절구조가 복잡해서 이러한 현상이 많이 일어난다는 점이다. 둘째, 한국어에서는 이러한 현상이 대부분 표준발음으로 인정된다는 점이다. 셋째 모음조화와 같은 현상은 한국어 및 계통이 비슷한 언어에서 관찰되는 특수한 현상이라는 점이다.

토론해 보기

- '해돋이'는 [해도지], '전라남도'는 [절라남도], '국물'은 [궁물] 등으로 발음되는 현상은 왜 일어나는지 토론해 보고, 우리 일상생활에서 발음과 표기가 다르게 나는 사례를 찾아 이유를 밝혀 보세요.
- 한국 사람은 /lead/–/read/를 잘 구별 못하고 일본 사람들은 흔히 '김치'를 '기무치'라고 발음하는 이유에 대해 이야기 해 보시오.

제5장 언어의 구조

단어의 구조: 형태론

형태소: 최소정보단위

단어

문장의 구조: 통사론

인간에게 내재된 문장구성 프로그램

문장구성의 원리

문장구성의 규칙

문장구성의 핵: 동사

한국어의 문장 구조

먼저 생각해 보기

단어의 구조

- '큰집'은 한 단어이며 '큰 집'은 두 단어이다. 이들의 표기나 발음 방식의 차이를 생각해 보자.
- '암산왕'과 '왕만두'에서 '왕'의 의미는 무엇인지 생각해 보자.
- 비웃음과 코웃음의 단어 형성의 차이는 무엇인가?
- 꽁트, 데이타, 로케트, 리더쉽, 비스켓, 알콜, 화이팅 등에서 바르게 표기된 외래어는 무엇인지 생각해 보자.

문장의 구조

- 다음 문장에서 오류를 찾아보고 무엇이 문제인지 생각해 보자.
  - a. 나는 오늘 일찍 동생을 깼다.
  - b. 철수는 연필을 쓰였다.
  - c. 철수는 책을 마셨다.
- 우리는 문장을 만들 때 어떤 방식으로 선택한 단어를 조합하는 걸까?
- 문장을 이루는 필수적인 문장성분은 무엇이 결정할까?
  (위의 예문 a~c 참조)

단어의 구조 형태론

언어는 의사소통의 수단이고 의사소통은 문장을 기본단위로 이루어진다. 문장은 단어들로 이루어져 있고 단어들은 다시 낱소리들로 이루어진다. 문장보다 큰 언어단위를 텍스트라고 부르기도 한다. 이와 같이 언어는 소리–단어–문장–텍스트 등 4개의 층위로 이루어지는데 이들은 그 안에 다시 세부 층위를 갖기도 한다. 언어학에서 이들은 별도의 연구분야를 형성하는데 이를 표로 정리하면 다음과 같다. 소리에 대해서는 앞 장에서 자세히 논의하였다. 이 단원에서는 단어의 구조에 대해서 알아보기로 한다.

[언어의 4가지 층위]

층위	언어단위	예	연구분야 이름
텍스트	텍스트 (문장들의 결합)	문단	담화분석/ 텍스트언어학
문장	문장	철수가 잔다	통사론
	구(phrase)	철수가, 잔다	
단어	단어	철수, 가, 잔다	형태론 / 조어론
	형태소 (최소 정보단위)	철수, 가, 자, –ㄴ, 다	
소리	음절	철, 수, 가, 잔, 다	음성학 / 음운론
	낱소리	ㅊ, ㅓ, ㄹ, ㅅ, ㅜ, ㄱ, ㅏ, ㅈ, ㅏ, ㄴ, ㄷ, ㅏ	

형태소: 최소 정보단위

언어란 의미 있는 소리들로 구성되고, 그 소리들은 의미를 가지는 일정한 형태로 이루어진다. 여기서 '의미를 가지는' 단위에는 형태소, 단어, 문장 등이 있는데 이를 문법단위라고 한다.

형태소의 정의

형태소(形態素, morpheme)란 언어표현 가운데서 최소 의미단위(minimal meaningful unit) 혹은 최소 정보단위를 말한다. 즉 형태소는 의미를 가진 가장 작은 언어 단위이며 더 이상 나누면 의미가 없어져 버린다. 예를 들면 '하늘'은 최소 의미단위인데 '하'와 '늘'로 나눌 수는 있으나, 그렇게 하면 [天]이라는 의미를 잃게 된다. '봄비'는 '봄'과 '비'로 나눌 수 있으며 나누어도 '봄'의 의미와 '비'의 의미를 가지고 있다. '봄'과 '비'는 따라서 각각 하나의 형태소이다.

그러면 '피었다'는 어떨까? 이는 나눌 수 있는 것인가? 나눈다면 어떻게 나누어야 할까? 이 말은 '피–', '–었–', '–다'로 나눌 수 있다. '피–'는 어간으로서 물론 단어 전체의 중요한 의미를 담고 있다. '–었–'은 '과거'라는 의미를 가지고 있다. '–다'는 해당 문장이 의문문이나 명령문이 아니고 평서문이라는 것을 말해 준다. 이것도 언어적으로 중요한 정보(의미)이다.

형태소의 의미는 어휘적 의미(lexical meaning)와 문법적 의미(grammatical meaning)로 나눌 수 있다. 어휘적 의미는 단어가 갖는 기본적인 의미를 말하고 문법적 의미는 조사나 어미, 접사 등이 갖는 문법적인 정보를 말한다. 어휘적 의미를 갖는 말을 실사(實辭)라고 하고 문법적 의미를 갖는 말을 허사(虛辭)라고 부른다.

형태소 종류

형태소는 혼자서 단어가 될 수도 있는 것도 있고, 반드시 다른 형태소와 결합해야만 하는 형태소도 있다. 전자를 자립형태소라 하고 후자를 의존형태소라고 한다. '손', '그', '새', '어느', '벌써'와 같은 명사, 대명사, 관형사, 부사, 수사 등이 자립형태소에 해당한다. 영어의 *book*, *happy* 등도 자립형태소이다. 의존형태소에는 '–이 / 가', '피–', '–었–', '–다' 등 조사, 용언의 어간과 어미, 접사 등이 있다. 영어의 *books*, *unhappy*에서 *–s*, *un–*이 의존형태소이다.

또한 형태소가 갖는 의미 내용에 따라 어휘형태소(lexical morpheme; 실질형태소)와 문법형태소(grammatical morpheme; 형식형태소)를 구분한다. 어휘형태소란 어휘적인 의미를 갖는 것을 말하고 문법형태소란 문법적인 정보만을 갖는 것을 말한다. 문법적인 정보도 일종의 의미라고 볼 수 있다. 예를 들면 국어의 '먹었냐?'라는 단어는 '먹 + 었 + 냐'와 같이 세 개의 형태로 이루어져 있다. 이 가운데 '먹–'은 'eat'라는 어휘적 의미를 갖기 때문에 어휘형태소이고, '–었–'과 '–냐'는 각각 '과거시제'와 '의문'이라는 문법적 정보(의미)를 가지고 있기 때문에 문법형태소이다. 한국어의 조사와 각종 어미가 문법형태소에 해당한다. 명사와 대명사는 주로 어휘형태소인데 '–들' 같은 복수형은 문법형태소이다. 형용사와 동사는 어휘형태소(어간)와 문법형태소(어미)의 결합으로 이루어진다.

이형태

하나의 형태소는 음성학적, 문법적 환경에 따라 여러 가지 형태로 실현될 수 있다. 예를 들면 국어의 조사 '–이/–가, –을/–를, –와/—과'와 같은 것들이 대표적인 예이다. 이러한 다른 실현 형태를 이형태(異形態, allomorph) 혹은 변이형태라고 부른다. '–았/–었/–ㅆ'도 모두 한국어 과거 시제표지의 변이형태들이다.

영어는 *cats* / *s* /: *dogs* / *z* /: *cases* / *ɪz* /: *oxen* / *ən* /에서 보는 바와 같이 명사의 복수형이 네 가지로 실현되는데 / s /, / z /, / ɪz /, / ən / 이 복수형에 대한 이형태라고 할 수 있다. 과거형 *–ed*도 *learned* / d /: *asked* / t /: *wanted* / id / 와 같이 세 가지로 실현되기 때문에 세 개의 이 형태를 가지고 있다고 볼 수 있다.

단 어

앞서 보았듯이 형태소는 가장 작은 의미단위이다. 단어도 의미를 가진 단위이기는 하지만 '가장 작은'이라는 제약을 가지고 있지 않다. '잡고', '슬픈', '집', '새', '고추잠자리' 등은 하나의 단어이다. 이 중 '집'과 '새'는 형태소이다. 그러나 '잡고', '슬픈', '고추잠자리'는 단어이지만 형태소는 아니다. '잡+고', '슬프+ㄴ', '고추+잠자리'처럼 쪼갤 수 있기 때문이다. 형태소와 단어의 관계는 '형태소≦단어'로 표시할 수 있다.

단어의 정의

그러면 단어(word)는 어떻게 규정할 것인가? '나팔꽃', '어깨동무'는 단어이다. 이들을 쪼갠 '나팔, 꽃, 어깨, 동무' 등도 단어이다. 단어를 간단하게 정의하면, 단어는 그 내부에 휴지(pause)를 둘 수 없고, 분리할 수 없는 의미 단위라 할 수 있다. 휴지는 숨을 끊어 발음할 수 있느냐 없느냐 하는 것이고, 분리성(isolability)이란 어떤 단위의 내부에 다른 요소가 끼어들어 그 단위가 분리될 수 있느냐의 여부를 말한다. '작은아버지'는 '숙부'의 뜻을 가진 언어단위로 '작은'과 '아버지' 사이에 휴지를 둘 수 없고, 다른 단어를 끼워 넣을 수도 없다. 그러나 '작은 아버지'는 그 사이에 휴지를 둘 수 있으며 '작은 우리 아버지'처럼 다른 단어를 끼워 넣을 수도 있다. '작은아버지'는 따라서 단어이며, '작은 아버지'는 단어가 아니다.

단어의 종류: 품사

의사소통의 기본단위는 문장이고 문장은 단어들로 구성된다. 한 언어에는 10~30만개 정도의 단어들이 있는데 이들은 일정한 형태와 기능을 가지고 결합하면서 문장을 만든다. 한 언어의 단어들을 그 특징에 따라 분류해 놓은 것이 품사이다. '품(品)'이라는 말은 '종류'라는 뜻이며 품사는 단어의 종류를 말한다.

품사 분류는 언어마다 다를 수 있고 학자에 따라서도 다를 수 있는데 한 언어의 품사들을 보면 그 언어의 중요한 특징들을 알 수 있다. 예를 들면 중국어 표준문법에서는 의성·의태어와 '마리, 그루, 자루, 벌' 등의 분류사(단위명사)를 별도의 품사로 설정하고 있는데, 한국어의 표준문법에서는 이들을 별도의 품사로 설정하지 않는다. 그런가 하면 한국어의 표준문법에서는 접속사를 별도의 품사로 설정하지 않고 있는데 이러한 사항들만 가지고도 우리는 두 언어의 중요한 특징을 알 수 있다(품사에 대한 더 자세한 논의는 제1장 '언어연구의 흐름' 참조).

단어의 기본 구조

단어의 구조를 파악하기 위해서는 어근과 접사, 어간과 어미의 개념이 필요하다. 어근(語根, root)은 자립성이 없고 단어의 중심부를 이루면서도 어간과 달리 어미가 직접 결합될 수 없는 형태소이다. 가령 '깨끗하다, 투덜거리다' 등의 '깨끗–, 투덜–'은 어미나 접사가 아니어서 단어의 중심부임이 분명한데도 '깨끗–으며, 깨끗–고, 투덜–어서, 투덜–며'와 같은 결합이 성립되지 않고, '하–'나 '–거리–'가 결합되어야만 '깨끗하–며, 투덜거려(투덜거리–어)'처럼 쓰일 수 있다. 이때 '깨끗하–, 투덜거리–'는 어간이고, '깨끗–, 투덜–'은 어근이다.

접사(接辭, affix)는 자립성이 없고 단어의 주변부를 이루는 형태소이다. 접사는 파생접사(derivational affix)와 굴절접사(inflectional affix)로 나눌 수 있다. 파생접사는 어근에 결합하여 새 단어를 만들어내는 접사를 말한다. 이는 접두사(prefix)와 접미사(suffix)가 대표적이다. 한국어의 '맨–발, 풋–사과, 왼–손', '잠–보, 덮–개, 목–아지'에서 '맨–, 풋–, 왼–' 등은 접두사이며, '–보, –개, –아지' 등은 접미사이다. 이처럼 '발, 사과, 손, 잠, 덮–, 목'의 앞이나 뒤에 붙어서 새로운 단어를 만들어 내는 기능을 하는 것이 접두사와 접미사이다. 영어의 경우 *unhappy, happiness*에서 볼 수 있는 *un–*, *–ness* 등이 접사의 예이다. 한국어는 접사가 많지 않은 언어이며 영어는 어휘구조로 보아 접두사가 아주 많은 언어이다. 즉 많은 영어의 단어들이 '접두사 + 어근'의 구조를 갖는다. *co*

–/re–/in–/de–/pro–/sub–/pre–/per–/ob–/ 등이 영어의 대표적인 접두사이다. 이러한 접두사는 모두 프랑스어에서 온 것이며 이는 다시 라틴어에서 온 것이다.

굴절접사는 새로운 단어를 만들어 내는 것이 아니라, 단어의 문법적인 기능을 표시하는 것으로서 흔히 어미(語尾, ending)라고 부른다.[18] 예를 들어, '먹–는다, 먹–고, 먹–어라'의 '–ㄴ다, –고, –어라'는 모두 '먹다'라는 단어의 굴절을 담당하는 어미들이다. 이때 어미와 직접 연결될 수 있는 '먹–'을 어간(語幹, stem)이라고 한다. 영어의 경우 *walks*에서 3인칭/단수/현재형을 나타내는 *–s*나 *walked*에서 과거시제를 나타내는 *–ed*가 굴절접사이다. 영어의 *–ing*(진행형), *–er*(비교급), *–s*(복수형) 등도 굴절접사이다.

정리하면, 파생접사는 새로운 단어를 만드는 기능을 하며 사전 속에 단어의 일부로 들어간다. 반면에 굴절접사는 문장을 만드는 과정에서 나타나고 문법규칙에 해당하는 것으로 사전에 들어 있지 않다. 예를 들면 '잡다'라는 단어에 어미가 붙어 '잡으시었다'로 형태변화를 할 수 있는데, '잡–'에 붙은 '–으시–'(주체 높임), '–었–'(과거시제), '–다'(문장종결)가 굴절접사 곧 어미이다. 이상과 같은 단어의 구조를 한국어와 영어의 예를 통해서 보면 (1)과 같다.

(1) a. '군소리하였다' → **군–**(파생접사) + **소리**(어근) + **하–**(파생접사) + **–였–**(굴절접사) + **–다**(굴절접사)

b. *formalizes* → *form*(어근) + *–al*(파생접사) + *–ize*(파생접사) + *–s*(굴절접사)

조어법

단어의 어근이 형태소 하나 또는 그 이상으로 이루어지는 일을 조어(造語)라 하고 이런 방식에 따라 단어가 이루어지는 것은 조어법 (word formation) 또는

18) 파생접사만을 접사로 보고 굴절접사는 따로 어미라고 부르기도 한다.

단어형성법이라고 한다. 조어법은 굴절(inflection)과 대립되는 개념이어서 굴절접미사, 즉 어미는 조어와는 관계없다. 어미는 단어 자체의 변화형이지 단어를 새로 만드는 것은 아니기 때문이다. 따라서 어떤 단어가 하나의 형태소로 이루어져 있는지, 여러 개의 형태소로 이루어져 있는지를 논의할 때는 어미 부분은 제외해야 한다. 예를 들어 '높다'는 '높–'과 '–다'의 두 형태소의 결합이지만 어간 '높–'만을 기준으로 하면 하나의 형태소로 이루어진 단어이다. 한국어에서는 동사나 형용사 어간이 항상 어미를 가지고 나타나며 어미는 순수하게 문법적인 기능만 담당하므로 조어에서는 어미를 배제하고 논의한다.

단어를 조어법의 관점에서 분류하면 우선 단일어(simple word)와 복합어(compound word)로 나눌 수 있다. 단일어는 형태소 하나로 이루어진 단어를 말하며, 복합어는 둘 또는 그 이상의 형태소로 이루어진 단어를 말한다. 복합어는 다시 파생어(derivative word)와 합성어(complex word)로 나뉜다. 파생어는 단어 구성요소 중 어느 한쪽이 파생접사인 경우를 말하며, 합성어는 어근이나 단어끼리 만나 이루어진 것을 말한다. 파생어는 접두사가 붙는 경우와 접미사가 붙는 경우로 분류할 수 있다. 이상을 정리하면 (2)와 같다.

(2) 단일어: 산, 하늘, 사랑, 예쁘다 / sun, sky, love
　　파생어: 날고기, 맨손, 구경꾼, 울보, 정답다 /
　　　　　alive, unman, action, truth
　　합성어: 눈물, 어깨동무, 알아듣다 /
　　　　　sunglass, lifelong, takeout

기타 조어 방법

파생과 합성이 새로운 단어를 만들어내는 주요 방법이지만 이외에도 다양한 방법으로 새로운 단어들이 만들어진다. 두자어, 중복, 혼성(混成; 혼효, 混淆) 등이 그 예이다.

두자어(頭字語, acronym)는 여러 개의 단어에서 첫머리 글자를 조합하여 하나의 단어처럼 발음함으로써 형성된다. 가령 '중도'는 '중앙도서관', '노찾사'는 '노래를 찾는 사람들, '전경련'은 '전국경제인연합회', '까도남'은 '까칠한 도시 남자'의 머리글자를 따서 만든 단어들로 한국어에서는 활발한 조어방법이다. 영어나 유럽 언어의 의 경우도 두자어는 많이 나타난다. 'TOEFL'(Test of English as a foreign language), 'LAN'(Local Area Network), 'LAD'(language acquired device) 등이 그 예이다.

혼성(blending)은 둘 이상의 단어에서 그 일부를 결합하여 하나의 단어를 만드는 것을 말한다. 영어에서 *brunch*(breakfast + lunch), *smog*(smoke + fog), *motel*(motor + hotel) 등이 대표적인 예이다. 우리말에 '짜파게티'라는 말이 있는데 이는 '짜장 + 스파게티'가 혼합된 말이다. 또 '짜파구리'라는 음식도 개발되었는데 이것은 '짜파게티 + 너구리'를 혼합한 말이다.

단축(절단; clipping)은 단어의 일부분을 잘라내어 짧은 형을 만드는 것이다. 한국어의 '인수위'는 '인수위원회'의 단축형이고 '경남대'는 '경남대학교'의 단축형이다. 영어의 *phone*은 *telephone*의 단축형이고 *gas*는 *gasolin*에서 단축된 것이다.

외래어

한국어의 단어들 중에는 본래부터 한국에서 쓰였던 고유어도 있고, 남의 나라 말에서 들어와 한국어의 체계 속에 들어온 외래어도 있다. 외래어는 흔히 차용어라고도 한다. 교통과 통신의 발달과 이문화간의 접촉이 활발해지면서 언어접촉과 간섭도 많아지고, 다른 언어에서 필요한 말들을 빌려다 쓰는 일도 일어난다. 한국어에도 여러 국가에서 들어온 외래어가 있다. 고대 중국과의 문화, 문물의 교류로 한자와 한자어를 받아들였고 개화기 이후 일본과 미국, 유럽으로부터 많은 외래어를 받아들였다. '버스, 텔레비전, 컴퓨터, 커피, 콜라, 주스, 비후카스, 핸드폰' 등이 그 예이다.

외래어는 외국어와 구별된다. 외래어는 국어에 완전히 동화된 것을 말한다. 예를 들어 버스[bus]는 영어에서 들어온 말이지만 완전히 우리말이 되었다. 그러나 '굿'[good]이라는 말은 많은 사람이 알고 있지만 '좋다', '수락' 등과 뜻이 다르지도 않고, 이 표현들 대신 자유롭게 쓸 수 있는 것도 아니다. 즉 '굿'은 우리의 귀에 익은 영어 단어, 곧 외국어일 뿐이다.

한국어에서 큰 비중을 차지하고 있는 것은 중국에서 들어온 외래어이다. 중국에서 들어온 외래어 중 극히 일부를 제외하고는 한자로 표기할 수 있고 또 실제로 직접 한자로 표기되는 일도 많다. 이들을 흔히 한자어라고 하며 한국어 어휘 체계를 고유어, 한자어, 외래어로 분류하기도 한다.

한국어의 외래어는 과거 중국, 몽고, 일본 등에서 많이 들어 왔고 최근에는 영어권의 외래어가 급속하게 증가되고 있다. 중국어에서 차용된 것으로는 배추[白菜], 상추[常菜], 붓[筆,] 자주[紫的,] 비단[匹緞] 등이 대표적이다. 이들은 현재 중국어 본래의 형태로부터 멀어져서 이들을 외래어로 의식하는 한국 사람은 드물고, 이들을 고유어로 잘못 인식하기도 한다. 불교 용어 중에도 중국을 통하여 들어온 외래어가 많다. 미륵(彌勒; Maitreya), 보살(菩薩薩埵; Bodhi–sattva), 보리[菩提; bodhi], 부처[<佛陀], 중생[<衆生], 동냥[<動鈴], 건달[<乾達婆] 등이 그 예이다. 이밖에 미국이나 유럽에서 들어온 외래어도 많다.

토론해 보기

- '먹거리'와 '먹을거리', '읽거리'와 '읽을거리'에서 전자는 모두 표준어, 후자는 '읽을거리'만 표준어이다. 단어형성방법에 어떤 차이가 있는지 토론해 보고, '먹거리'와 같은 방식으로 형성된 단어들을 정리해 보자.

쉬어가기

굴절의 의미

굴절(inflection)이란 원래 물리학의 용어인데 언어학에서는 어형변화를 의미한다. 즉 기본형이 있고 이 기본형이 문장 가운데 들어가면서 변형되는 것을 굴절이라고 한다. 굴절은 크게 명사변화와 동사변화로 나누어진다. 명사의 변화를 곡용(declension; 격변화)이라 하고 동사의 변화를 활용(conjugation)이라고 한다. 명사변화는 대명사, 관사 등의 변화를 포함한다. 명사 앞에 오는 형용사가 명사의 격에 따라 변화(격변화)하는 경우도 있다.

굴절의 개념은 원래 유럽 언어에 적용했던 개념으로 한국어 같은 언어에는 잘 맞지 않는 면이 있다. 한국어는 유럽 언어 식의 격변화가 없고 동사변화도 유럽 언어와 완전히 다른 양상을 보이기 때문이다. 유럽 언어들의 동사들은 시제나 주어의 인칭/수에 따라 변화를 한다. 본래의 형태(기본형)가 약간 변화(굴절)한 것이다. 그러나 한국어는 첨가어로서 유럽 언어 식으로 동사의 기본 형태가 약간 굴절한다고 하기보다는 '-시/-었/-겠/-습니/-까/'와 같은 문법형태소를 동사 뒤에 덧붙이는 식이다. 단순히 굴절이라고 보기 어렵다는 뜻이다. 이 용어를 처음 사용한 유럽인들이 유럽 언어는 '굴절어'라고 하면서 한국어와 같은 언어는 따로 '첨가어'로 분류한 것은 어형변화의 성격이 다르다고 인식하였기 때문일 것이다.

현대 학문이 대부분 유럽에서 왔기 때문에 전문 용어나 개념들이 유럽 중심으로 되어 있는 경우가 많다. 한국적 상황에 적용할 때는 주의가 필요하다. 한국어 문법에서 '굴절'이라는 용어는 잘 사용하지 않지만 '활용'이라는 용어는 많이 사용한다. 동사와 형용사의 어형변화를 가리키는 말이며 이는 유럽 언어에서 동사의 변화를 '활용'이라고 부른 것과 맥을 같이한다. 동사(술어)가 쓰이는 환경에 따라 형태가 달라진다는 뜻이며 이 개념은 한국어에 적용하더라도 무리가 없어 보인다.

문장의 구조 : 통사론

언어는 의사소통의 수단이고 의사소통의 기본단위는 문장이다. 조금 단순화시켜서 말하면 언어는 곧 문장이라고 할 수 있고 문장이 무엇인지를 모르면 언어에 대해 제대로 안다고 할 수 없다. 이 단원에서는 문장이 어떻게 구성되는지에 대해 알아 볼 것이다.

문장은 단어들을 결합해서 만든다. 이렇게 언어표현들을 결합(통합)하여 문장을 만드는 것을 통사라고 하고 이를 연구하는 분야를 통사론(統辭論; syntax)이라고 부른다. 단어 형성론을 조어론이라고 한다면 통사론은 문장 형성론이라고 할 수 있다. 현대 언어학은 문장이 일정한 규칙에 따라 형성된다고 보고 이 규칙의 성격을 규명하는데 많은 시간과 노력을 할애하였다. 이 규칙은 문법규칙이라고 할 수 있고 현대적인 개념으로는 인간의 머릿속에 내재된 문법 프로그램 혹은 언어 프로그램이라고 할 수도 있다.

인간에게 내재된 문장구성 프로그램

언어는 복잡한 규칙의 체계이다. 인간은 유아기 때 이미 이 복잡한 규칙을 모두 습득하여 평생 무한한 문장을 만들어 사용하며 살아간다. 인간은 어떻게 이 복잡한 규칙체계를 3년 정도의 유아기 동안에 습득해 낼 수 있을까? 가장 믿을 만한 설명은 인간은 언어를 습득하기 위한 문법 프로그램을 선천적으로 갖추고 태어난다는 것이다. 즉 인간은 유아기 때 듣는 언어자료들 속에서 모국어의 복잡한 규칙을 파악하고 무한의 문장을 생성해 낼 수 있는 문장구성의 원리를 자연스럽게 습득한다. 인간에게 문법 프로그램이 선천적으로 내재되어 있다는 한 가지 증거는 크레올에서 볼 수 있다.

하와이 크레올 이야기

언어학에는 피진(pidgin)과 크레올(creole)이라는 용어가 있다. 피진이란 서로 다른 두 언어의 화자가 만나 의사소통을 위해 자연스레 형성한 혼합어를 이르는 말이다. 피진이 뿌리내려 모국어로서 사용되는 말을 크레올이라 한다. 피진이라는 말은 *business*의 중국식 발음인데 혼합어를 사용하던 중국인 노동자등이 *business*를 *pidgin*이라고 발음한데서 연유한 것으로 보인다. 크레올이라는 말은 신대륙 발견 뒤 아메리카 대륙에서 태어난 스페인인의 자손을 일컫는 "크리오요(criollo)"에서 비롯하였다. *criollo*는 *criar*(성장하다)라는 동사에서 파생되었으며, 이 말은 본래 "(유럽에서 건너오지 않고) 현지에서 자랐다"는 뜻이다.

1500~1900년대에 유럽의 열강들은 인구가 적고 고립되어 있는 남태평양의 여러 섬에 노동 집약적인 농업경제를 발전시켰다. 가장 최근의 사례로 19세기 말 하와이 섬에 설탕을 수확하기 위해 토착민 뿐 아니라 많은 다른 나라 노동자들을 고용하였다. 중국, 일본, 한국, 포르투갈, 필리핀, 푸에르토리코 등에서 유입되어, 서로 다른 언어 배경을 가진 노동자들은 의사소통이 제한적일 수밖에 없었다. 이러한 상황에서 이들은 최소한의 의사소통을 위해 임시방편의 혼합어를 발전시키게 되는데 이것이 바로 피진(pidgin)이다. 이는 초보적 형태의 언어로 화자에 따라 어순도 다르고 복문, 종속절도 따로 없는 단순한 형식이었다. 동사도 종종 생략되기도 하고 대명사 체계도 빠져있어서 딱히 문법규칙이랄 것도 없는 언어였다.

이러한 환경에서 태어난 노동자의 아이들은 부모와 격리되어 역시 피진을 사용하는 노동자에게 집단적으로 양육되는 경우가 많았다. 그런데 이렇게 빈약한 언어를 듣고 자랐음에도 불구하고 이 아이들은 부모들의 피진과는 다른 형태의 언어를 발전시키는데 이것이 크레올(creole)이다. 피진과 달리 크레올은 어순에 일관성을 갖고 있고 복문, 관계절을 사용하며, 정관사와 부정관사를 구분하는 일반적인 언어의 구조를 갖는다. 이러한 언어구조는 다른 지역의 크레올에도 나타나는 공통적인 특징이다. 이는 모든 인간이 보편적인 문법 프로그램을 선천적으로 가지고 있어서 유아기 때 입력되는 빈약한 언어 정보를 가지고도 완벽한 문법을 지닌 언어를 사용할 수 있게 된다는 증거가 될 것이다.

문장구성의 원리

인간은 유아시절 부모에게서 문장을 들으면서 자신에게 내재된 문법 프로그램을 활용하여 그 문장의 이면에 숨어있는 문장구성의 원리를 찾는다. 이 원리는 유한한 단어들을 가지고 무한한 문장을 생성해낼 수 있는 매우 효율적인 조합체계이다. 이 체계를 가지고 인간은 단어의 순서를 정하고 문장을 생성해 낸다.

문장구성의 두 가지 기본요소, 명사와 동사

언어는 의사소통의 수단이며 의사소통의 기본단위는 문장이다. 문장은 우리 주변의 세상에 대해서 이야기하는 것이다. 세상은 사물들로 이루어져 있는데 이 사물들이 문장 속에 들어가면 명사가 된다. 그런데 명사만 가지고는 문장이 성립될 수 없고 이 명사가 "어떠어떠하다"라고 하는 부분이 있어야 하는데 이것이 곧 동사(술어)이다. 문장을 구성하는 두 가지 기본 요소는 따라서 명사와 동사이다. 이 명사와 동사는 주품사라고 할 수 있고 나머지 말들은 이 두 가지 품사를 보조해서 문장을 더 정밀하게 다듬는 기능을 한다. 문법이란 이 명사와 동사를 잘 다듬어서 보다 정교한 문장을 만드는 방법을 말한다.

한 문장에 동사(술어)는 기본적으로 하나이며 명사는 여러 개 올 수 있다. 이때 명사가 몇 개 와야 하는지 또 어떤 종류의 명사가 와야 하는지는 동사가 결정한다. 즉 문장 전체의 구조는 동사가 결정한다고 볼 수 있다. 예를 들면 한국어 '데려오다'라는 동사는 (1)과 같이 5개의 명사를 취할 수 있는데, 이때 아무 명사나 대강 취하는 것이 아니고 명사의 수와 종류를 정확히 어법에 맞게 고른다는 것이다. 예를 들면 이 문장에서 5개의 명사에 조사를 정확히 붙여야 하며, 주어와 목적어 자리에는 '책상, 의자'와 같은 무생물이 오면 안 된다. 또 '엄마'와 '아이'는 필수적인 명사이며 나머지는 선택 가능한 명사이다.

(1) '데려오다'의 문장구성

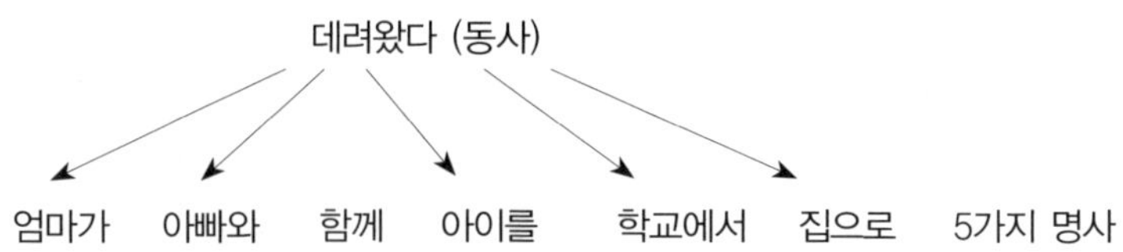

이와 같이 영어의 *want*라는 동사는 (2)와 같이 3가지 방식으로 문장을 만든다고 할 수 있다. 이때 *to go home*도 일종의 명사로 보면 된다.

(2) 'want'의 3가지 문장구성

a. I want **an apple**.

b. I want **to go home**.

c. I want **Mary to go home.**

문장구성 체계의 특징

인간 언어는 동사와 명사를 중심으로 단어들을 조합해서 문장을 만드는데 이 문장구성의 체계는 무한성과 입체성이라는 특징을 가지고 있다.

무한성: 서론편에서 언급한 바와 같이 인간 언어가 다른 동물의 언어와 구별되는 중요한 특징 가운데 하나는 무한성이다. 이 무한성은 우선적으로 인간 언어의 조합성에서 온다. 즉 인간의 언어는 분절 가능한 자음과 모음을 조합해서 무한히 단어를 만들 수 있고, 이 단어들을 조합해서 다시 문장을 무한

히 만들 수 있다. 우리가 20개의 단어를 사용해서 만들 수 있는 문장의 수만 해도 10^{20}개라고 한다(Pinker, 1994 : 77).

이처럼 인간은 평생 무한한 수의 문장을 만들면서 살아간다. 무한한 문장의 생성을 가능케 하는 또 한 가지 원리는 조합규칙의 회귀성(recursiveness), 혹은 반복성이다. 회귀성이란 한 문장 안에서 동일한 조합규칙을 반복적으로 사용하는 것을 말한다. 즉 우리는 한 문장 안에서 동일한 요소를 계속 반복하는 것이 가능하기 때문에 그 문장을 끊임없이 길게 만들 수 있다. 예를 들어, 다음 예문 (3)과 같이 하나의 문장이 끝없이 확장될 수 있고, 반복적인 문장의 삽입으로 계속 새로운 문장을 만들어낼 수 있다.

(3) a. Peter is honest.
b. Jane believes that Peter is honest.
c. Mary thinks that Jane believes that Peter is honest.
d. John said that Mary thinks that Jane believed that Peter is honest.

입체성: 우리는 인간이 문장을 만들 때 머릿속에 저장된 단어들을 골라 사슬을 잇듯이 차례로 연결해 갈 것이라고 추측할 수 있다. 즉 바로 앞의 단어에 의해 다음 단어가 결정되어 연결되는 식이다. 과연 문장구성은 명사, 동사, 형용사 등을 꼬리에 꼬리를 무는 식으로 하나하나 이어 붙이는 방식일까? 문장의 구성은 이처럼 단선적일까? 아니면 입체적일까? 정답을 말하자면 인간은 자신이 원하는 단어를 하나씩 골라 차례로 나열하는 것이 아니라, 단어를 적재적소에 계획적으로 배치하는 더 복잡한 설계도를 가지고 있다.

예를 들면 예문 (4a)와 (4b)에서 문장 끝에 *for*와 *with*를 배치하기 위해서는 *what*과 *who*의 존재를 잊지 않고 끝까지 기억해야 한다. 예문 (4c) 에서도 동사에 '–셨'을 붙이려면 주어가 '선생님'이라는 것을 기억하고 있어야 한다. 문장이 직선적으로 구성된 것이 아니라 입체적인 설계에 의한 것이라는 증거이다.

(4) a. What do you come here for?

b. Who do you live with?

c. **선생님께서** 어제 교무실에서 늦게까지 기다리셨다.

다음 (5)의 예들도 인간의 문장 조합방식이 입체적이라는 것을 보여준다. 즉 글로 적힌 표현만으로는 군인이 젊다는 것인지 군인과 여자가 모두 젊다는 것인지, 방이 작다는 것인지 창문이 작다는 것인지 알 수 없다. 그러나 이 문장이 구두로 전해진다면 말을 하는 사람의 머릿속에 입체적 설계도가 있기 때문에 휴지나 억양을 통해서 의미가 분명하게 전달될 것이다.

(5) a. 젊은 군인과 여자

b. 작은 방의 창문

인간의 두뇌 속에 있는 문장 조합체계는 단어를 직선적으로 이어가는 방식이 아니라 나무의 잔가지가 모여 하나의 굵은 가지를 이루는 것 같은 모양을 갖는다. 즉 단어가 모여 구가 되고, 작은 구가 모여 더 큰 구를 이루는 방식이다. 위의 예문 (5a)는 (6)과 같은 두 개의 조합구조를 갖는다.

조합구조 (6)에서 '군인과 여자'는 발화자의 마음 속에서 먼저 하나로 묶인 뒤 '젊은'과 결합하는 설계도이다. 발화자는 '젊은'을 말한 후에 잠시 쉬었다가 '군인과 여자'를 이어서 발음할 것이다. 조합구조 (7)은 '젊은'과 '군인'을 먼저 묶어준 경우이다. 이처럼 자신이 말하고자 하는 의미에 따라 문장구성의 설계도는 다를 수 있다. 그리고 조합 방식은 단어 나열 순서와 상관없이 미리 설정된 입체적 설계도에 따르는 것이다.

젊은 군인과 여자

[조합구조 6]

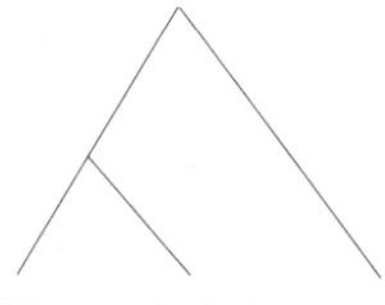

젊은 군인과 여자

[조합구조 7]

문장구성의 규칙

앞에서 우리는 문장이 크게 명사와 동사로 구성된다고 했는데 이제 문장구성의 규칙에 대해 조금 더 자세히 살펴보기로 하자. 문장은 크게 주어와 술어로 나눌 수 있고 술어는 다시 동사와 목적어로 나누어질 수 있다. 여기서 주어와 목적어가 명사, 정확히 말하면 명사구이다. 술어는 언어학에서 보통 동사구라고 부른다.

(8) a. The happy boy eats an apple.
  b. The boy likes the girl.

예를 들면 (8)의 두 문장은 *the happy boy*와 *the boy*라는 주어, 즉 명사구로 시작된다. 이 명사구는 각각 *eats an apple*과 *likes the girl*이라는 동사구(술어)와 연결되어 문장을 이룬다. 동사구는 다시 동사와 명사로 나누어진다. 명사구는 관사, 형용사, 명사로 구성된다. 이러한 문장구성 규칙은 다음 (9)와 같이 기호화할 수 있는데, 이는 명사구, 동사구 등을 조합하여 문장을 만드는 규칙이라고 해서 구구조 규칙(phrase structure rules)이라고 부른다.

(9) a. 문장 → 명사구 + 동사구
  b. 명사구 → 관사 + 명사
  c. 명사구 → 관사 + 형용사 + 명사
  d. 동사구 → 동사 + 명사구

(9b, c)의 두 개의 규칙은 (10)과 같이 하나로 묶을 수 있다. 여기서 괄호는 선택적이라는 뜻이다.

(10) 명사구 → 관사 + (형용사) + 명사

여기서 규칙 (10) 대신 (11a)의 규칙을 만들고 이 규칙을 반복해서 적용한다면 우리는 (11b)와 같이 형용사를 반복해서 넣을 수 있을 것이다. 이러한 규칙을 회귀규칙(recursive rule)이라고 부른다.

(11) a. 명사구 → 형용사 + 명사구

b. 명사구 → 형용사 + 명사구

⇓ ←——— (11a) 규칙 적용

형용사 + 명사구

⇓ ←——— (11a) 규칙 적용

형용사 + 명사구

⇓ ←——— (11a) 규칙 적용

형용사 + 명사구

이제 인간의 머리 속에는 (12)와 같은 품사별 사전이 있을 것인데 (9–11)과 같은 조합규칙을 모두 적용한 다음 이 사전에서 필요한 단어들을 꺼내서 각 품사 뒤에 붙이면 문장이 될 것이다.

(12) 명사 → boy, girl, dog, cat

동사 → eats, likes, bites

형용사 → happy, lucky, tall

관사 → a, the, one

이와 같이 문장조합 과정을 도표로 나타내면 (13)과 같으며 이는 마치 나무 가지가 거꾸로 뻗어나가는 모양과 같다고 해서 수형도(tree diagram)라고 부른다.

(13) 수형도의 예

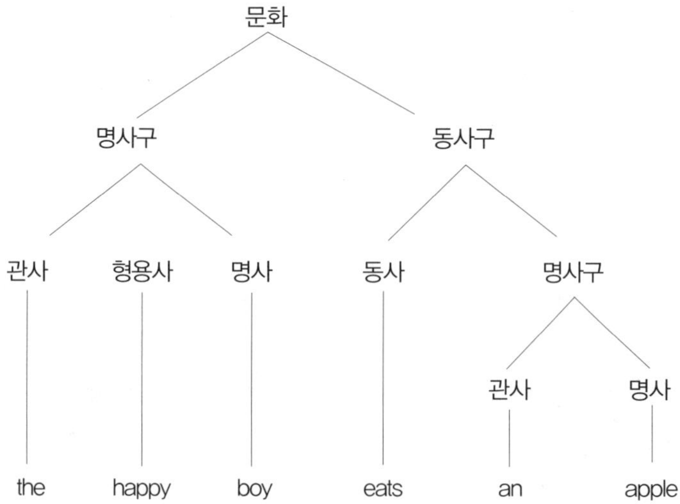

문장구성의 핵 : 동사

위에서 살펴본 문장구성 규칙(구구조 규칙)은 단어를 기초로 문장이 어떻게 조합되어 가는지를 보여준 것이다. 그러나 조금 자세히 보면 이 구구조 규칙만으로는 문장을 만드는데 충분한 정보가 제공되지 못한다는 것을 알 수 있다. 실제로 인간 머리 속의 설계도에는 훨씬 더 정밀한 정보들이 들어있어야 한다. 예를 들면 (15)–(16)의 영어 문장들은 (14)의 문장구성 규칙에 맞추어 조합했지만 틀린 문장이 나타난다.

(14) a. 문장 → 명사구 + 동사구
b. 명사구 → 관사 + 명사
c. 동사구 → 동사
d. 동사구 → 동사 + 명사구

(15) a. The boy sleeps.

b. The boy likes the girl.

c. *The boy sleeps a book.[19)]

d. *The boy likes.

(16) a. The boy drinks the water.

b. *The boy drinks a stone.

c. *The stone drinks the water.

이러한 현상을 어떻게 설명할 수 있을까? 그리고 위의 잘못된 문장을 걸러내기 위해 우리는 머리 속에 어떤 정보구조를 가지고 있을까? 규칙 (14a,b,c)를 적용하면 (15a)를 생성할 수 있고 (14a,b,d)를 적용하면 (15b)를 생성할 수 있다. 그런데 *sleep*라는 동사에 (14a,b,d)를 적용해 버리면 (15c)와 같이 잘못된 문장이 나오고 *like* 라는 동사에 (14a,b,c)를 적용해 버리면 (15d)와 같이 잘못된 문장이 나온다. 동사에 따라 규칙을 골라서 적용해야 한다는 뜻이다. 우리는 앞에서 문장은 크게 명사와 동사로 구성되고 이 가운데 동사가 문장 전체의 구조를 결정한다고 했는데 바로 이 원칙에 따라 동사에 맞게 조합규칙을 적용해야 하는 것이다.

한편 (16)에서는 *drink*라는 동사에 똑같이 규칙 (14a,b,d)를 적용했는데도 두 개는 틀린 문장이 되었다. 이유는 물론 간단하다. 이 동사의 주어는 생물체라야 하고 목적어는 액체라야 하는데 이 부분이 잘못된 것이다. 동사가 문장의 구조를 결정할 때 명사의 양과 질, 즉 몇 개의 명사가 와야 하고 어떤 종류의 명사가 와야 하는지를 결정하는데, 이 원칙에 따라 명사의 종류도 동사에 맞게 선택해야 하는 것이다. 이렇게 볼 때 동사는 문장구성을 총지휘하는 사령관이라고 할 수 있으며 언어학에서는 이를 핵 혹은 핵어(head)라고 부른다. 문장구성의 핵은 동사인 것이다. 동사를 도와 문장을 완성해 가는 명

19) 별표(*)는 틀린 문장이라는 뜻이다.

사들을 핵어에 대해 보충어(complement)라고 부른다.

동사가 문장구성을 총지휘하기 위해서는 이에 대한 정확한 설계도가 있어야 한다. 인간은 머리 속에 동사들의 문장구성 방법에 대해 정확한 정보를 가지고 있어야 한다는 뜻이다. 그러면 우리는 이와 같은 문장구성에 대한 정보를 어떤 형태로 가지고 있을까? 예를 들면 위 (15)–(16)의 동사들은 다음과 같은 정보를 가지고 있을 것이다. 동사 *sleep*은 자동사로서 목적어를 취할 수 없고 주어는 생물체이다. 동사 *like*는 타동사로서 주어와 목적어가 있어야 하며 주어는 생물체이다. 동사 *drink*는 주어와 목적어가 있어야 하며 주어는 생물체이고 목적어는 액체이다. 동사에 대한 이러한 정보들을 우리는 (17)과 같이 도식화할 수 있는데 이를 동사의 정보구조라고 한다.

(17) 동사 정보구조의 예

a. sleep : [자동사, 명사[1]]
명사[1] : [+생물체, …]

b. like : [타동사, 명사[1], 명사[2]]
명사[1] : [+생물체, …]
명사[2] : […]

c. drink : [타동사, 명사[1], 명사[2]]
명사[1] : [+생물체, …]
명사[2] : [+액체, …]

이와 같은 동사 정보구조와 문장 조합규칙을 가지고 우리는 (18)–(19)와 같이 잘못된 문장들을 걸러낼 수 있다. (18)에서 동사 *sleep*은 자동사이기 때문에 뒤쪽에서 목적어(명사[2])가 들어오면 결합을 허용하지 않는다. (19)에서 동사 *sleep*은 '생물체'가 주어(명사[1])로 와야 하는데 비생물체가 들어오면 결합을 허용하지 않는다.

(18) 동사 정보구조와 문장조합(1)

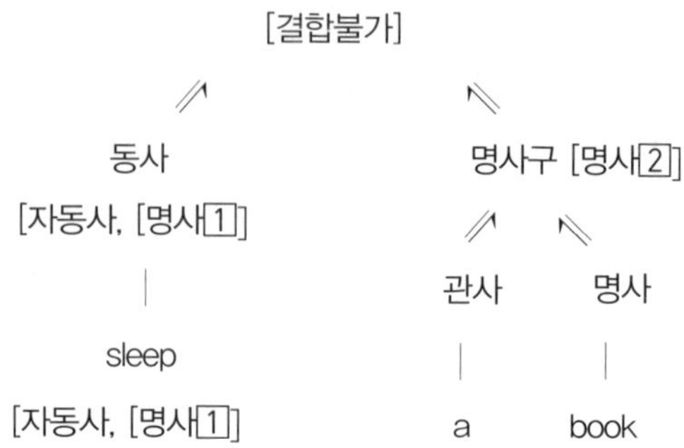

(19) 동사 정보구조와 문장조합 (2)

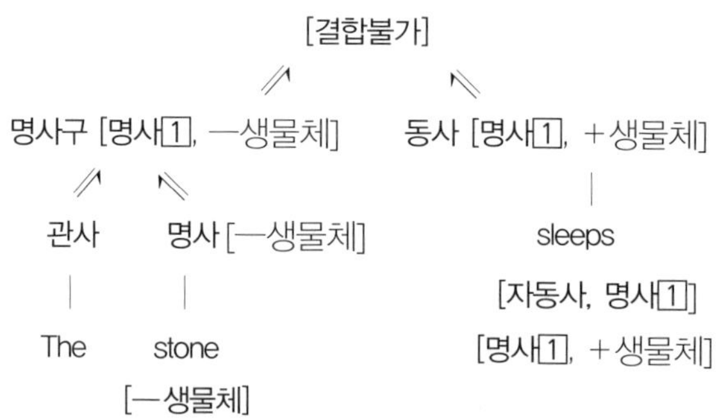

동사의 문장구성 방식과 개별언어

동사는 문장의 구성에 관한 정보를 담고 있으며, 동사를 보면 그 문장이 어떻게 구성될지를 예측할 수 있다. 그러면 같은 의미를 가진 동사가 문장을 구성하는 방식은 언어마다 같을까 아니면 언어에 따라 차이가 있을까? 예를 들면 영어의 *buy*라는 동사와 한국어의 '사다'는 동사는 어떨까? 예문 (20)에서 보는 바와 같이 이 동사들은 모두 두 개의 명사를 요구하며 전형적인 타동사 구문을 형성한다는 점에서 문장구성 방식이 같다고 볼 수 있다.[20]

20) 한국어가 조사를 사용한다거나 영어에서 관사를 사용하는 것과 같은 개별언어

(20) a. 철수는 책 한 권을 샀다.

b. John bought a book.

그러나 조금만 더 자세히 보면 같은 동사라도 언어에 따라 문장구성방식이 다른 것을 볼 수 있다. 영어와 한국어의 '*wait*–기다리다, *marry*–결혼하다, *meet*–만나다' 등이 그 예이다. (21a)는 한국어의 일반적인 타동사 구문인데 영어의 *wait*는 목적어를 취하기 위해 전치사 *for*를 수반한다. 반대로 (21d)는 영어에서 일반적인 타동사 구문인데 (21c)의 한국어 문장은 그렇지 않다. 또 영어의 동사 *meet*는 (21f)처럼 일반적인 타동사 구문만 만드는데 한국어의 '만나다'는 문장을 두 가지로 만든다.

(21) a. 철수는 영희를 기다린다.

b. John waits **for** Jane.

c. 철수는 영희**와** 결혼했다.

d. John married Jane.

e. 철수는 영희**를/와** 만났다.

f. John met Jane.

언어에 따른 특수구문도 있다. 예를 들면 (22)와 같은 영어의 비인칭 구문이나 *there*–구문은 한국어에서 관찰되지 않는다. 반대로 (23)의 이중주어 구문이나 처소격 조사를 주어에 사용하는 일은 영어에서 찾아 볼 수 없는 현상이다.

(22) a. **It** is raining.

b. **There** are many people in the store.

의 구조적 차이는 고려하지 않는다.

(23) a. 나는 영희**가** 싫다/밉다/무섭다.
b. 우리 학교**에서** 이겼다.

동사의 문장구성 방식과 기본문형, 문장 5형식

문장구성 방식은 동사가 결정한다고 했는데 자세히 보면 이 구성방식이 동사마다 다른 것이 아니고 거기에는 일정한 패턴이 있다. 예를 들면 영어의 *love, like, eat*는 같은 패턴으로 문장을 구성한다. 우리는 한 언어에서 이와 같은 문장구성 패턴을 조사하여 정리할 수 있는데 이것을 그 언어의 기본문형(BSP: basic sentence patterns)이라고 한다. 우리 한국인에게 잘 알려진 기본문형의 예가 바로 영어의 문장 5형식이다.

문장 5형식은 영어 동사들의 문장구성 패턴을 5가지로 구분해 놓은 것인데, 이는 5가지의 대표적인 패턴으로 보아야 하며 이것을 가지고 영어의 모든 문장구조를 설명하려고 하면 안 된다. 문장 5형식의 문제점을 몇 가지 보면 다음과 같다.

(24) a. John lives in Busan.
b. John waits **for** Jane.

(25) a. John wants an apple.
b. John wants to meet Mary.

(24a)는 제1형식 문장으로 분류될 것이다. 그러나 이 문장에서 *in Busan*이 없으면 문장이 성립되지 않으므로 이는 '주어 + 자동사' 구조의 단순한 제1형식 문장으로 보아서는 안 된다. (24b)에서 *Jane*은 목적어이다. 그러나 동사 *wait*는 목적어를 취하기 위해 전치사 *for*를 더 요구하기 때문에 이 역시 단순한 제3형식 문장으로 볼 수 없다. (25a,b)는 모두 제3형식 문장으로 분류될 것이다. 그러나 이 둘은 문장구성 방식이 분명히 다르기 때문에 다른 패턴의 문형으로 보아야 한다.

현대 언어학에서 한 개별언어 동사들의 문장구성 패턴, 즉 기본문형을 5가지로만 구분하는 일은 없다. Hornby(1974)는 영어의 기본문형을 52가지로 설정한 바 있는데 이것이 영어 문형에 대한 더 적절한 기술이라고 하겠다. 독일어 문법학자들의 경우 독일어의 기본문형을 50개 이상 설정하는 것이 보통이다.

한국어의 문장구조

한국어의 문장구조도 당연히 동사(술어)를 중심으로 기술해야 한다. 그런데 한국어에서는 형용사가 바로 술어로 쓰이기 때문에 동사와 함께 이를 문장의 핵(head)으로 보아야 하며 이에 따라 문장을 동사 술어문과 형용사 술어문으로 구별할 수 있다. 인간의 언어에는 또 술어로 쓰이지 않는 말을 술어로 바꾸어 주는 표현이 있는데 이를 계사(연결사; copula)라고 한다. 영어의 *be*–동사, 한국어의 '–이다', 중국어의 '是'가 그 예이다. 이에 따라 우리는 한국어의 문형을 (26)과 같이 세 가지 유형으로 나눌 수 있다.

(26) 한국어 문형의 세 가지 유형

a. 동사 술어문 예) 지혜는 영수를 사랑한다.
b. 형용사 술어문 예) 영주의 동생은 똑똑하다.
c. 계사 구문 예) 이것은 책이다.

한국어의 기본문형

한국어의 기본문형에 대해서는 서울대학교 홍재성 교수께서 많은 연구를 해서 잘 정리해 놓았다(홍재성, 1999 참조). 이 소단원에서는 이를 바탕으로 한국어의 기본문형을 소개하고자 한다. 홍재성(1999) 교수는 한국어의 기본문형을 모두 62가지로 분류하였는데 여기에서는 (26)의 세 가지 유형에 대해 대표적인 구문 5가지씩만 소개한다.

1) 동사 술어문

① N_0 V 애들이 자란다.

② S_0–것 V 태수가 거짓말 한 것이 드러났다.

③ N_0 N_1–(에+에게) V 지수는 태수에게 속았다.

④ N_0 N_1–로 V 얼음이 물로 변한다.

⑤ N_0 N_1–와 V 영주는 전철역에서 친구와 만났다.

2) 형용사 술어문

① N_0 A 영주의 동생은 똑똑하다.

② S_0–것 A 기영이가 합격한 것이 확실하다.

③ N_0 N_1–이 A 나는 태수가 싫다.

④ N_0 S_1–것–이 A 나는 영주가 돌아온 것이 기쁘다.

⑤ N_0 N_1–와 A 영우는 종수와 친하다.

3) 계사 구문[21)]

① N_0 N_{pr}–이다 이것은 책상이다.

② N_0 N_1–(에+에게) N_{pr}–이다 모두들 그 계획에 반대이다.

③ N_0 N_1–와 N_{pr}–이다 그의 생각은 나와 반대이다.

④ N_0 N_1–을 N_{pr}–이다 그는 쓸데없는 것을 고민이다.

⑤ N_0 S_1 것–이 N_{pr}–이다 나는 영우가 그렇게 말한 것이 불만이다.

N_0: 주어 명사, N_1: 제1 명사 보충어, S: 문장 보충어,
V: 동사, A: 형용사, N_{pr}: 술어로 쓰이는 명사

다른 언어와 마찬가지로 한국어 역시 문장의 틀을 결정하는 것은 술어이

21) 홍재성(1999) 교수는 '–이다' 구문을 계사구문과 명사술어 구문으로 구별하고 있는데 이 책에서는 이들을 모두 계사구문으로 보겠다.

며 술어의 보충어로 오는 말은 크게 명사와 문장이다. 명사 보충어 뒤에는 술어가 요구하는 조사를 붙여야 한다. 문장이 보충어가 될 때는 이 문장을 상위문과 문법에 맞게 연결시켜야 한다.

1)_②에서 '드러나다'는 문장을 주어로 요구하고 있고, 1)_⑤의 '만나다'는 N_1에 조사 '–를'을 써도 된다. 2)_②에서 '확실하다'도 문장을 주어로 쓰고 있고, 2)_③에서 '싫다'는 이중주어를 요구한다. 2)_④도 이중주어 구문이며, 2)_⑤에서 형용사 '친하다'는 2개의 명사(보충어)를 요구한다.

계사 구문은 '–이다' 구문이다. '–이다'는 언어학적으로 영어의 *be*–동사와 성격이 같은 것인데 두 언어에서 그 쓰임이 차이가 있다. 영어의 *be*–동사는 주로 명사, 형용사와 결합하지만 한국어의 '–이다'는 기본적으로 명사와 결합하며 형용사와는 결합하지 않는다. 중국어의 계사 '是'는 한국어식이다. 영어의 계사는 이밖에 부사나 부사구와 결합할 수도 있다((27) 참조). 한국어의 계사도 기본적으로는 명사와 결합하지만 자세히 보면 다른 결합구조도 관찰된다((28) 참조).

(27) 영어 계사의 결합구조

a. John is tall. (형용사)

b. John is my brother. (명사)

c. John is away. (부사)

d. John is from Canada. (전치사구/부사구)

e. John is in Canada. (전치사구/부사구)

(28) 한국어 계사의 결합구조

a. 영희는 내 **친구이다.**

b. 철수는 **낭만적이다.**

c. 나는 **홀로이다.** / 그 사람 **별로이다.**

d. 그게 아마 **부산에서였지**?

e. 내가 할 일은 **여기까지이다. / 여기에서부터이다.**

f. 이게 다 너를 **위해서이다.**

g. 감기약을 **먹어서인지** 졸린다.

h. 승미가 언제부터 저러지?

현수를 **만나면서부터입니다.** / 현수를 만나고 **나서입니다.**

한편, 영어와는 달리 한국어 '–이다'는 다양한 명사와 결합할 수 있는 것이 특징이다. 예를 들면 (29)의 '–이다' 구문들은 영어의 계사구문으로 표현할 수 없다.

(29) 한국어 명사 술어 구문의 특수용법

a. 어디 있어? 응, 나 지금 **부산대학이야.**

b. 우리는 내일 **출발이다.**

c. 뭐 마실래? 응, 난 이 집에 오면 언제나 **커피야.**

d. 저 앤 항상 **말썽이다.**

한국어의 특수구문

개별언어마다 유형론적으로 특수한 구문들이 발달해 있다(송경안 · 이기갑, 2008, 제2장). 예를 들면 영어에는 비인칭 구문이나 유도사 구문이 발달해 있고 독일어나 러시아어 등에서는 재귀구문이 아주 자주 쓰인다.[22] 한국어는 유럽 언어와 계통이 완전히 다른 언어로서 이들과는 다른 특수한 구문들이 관찰된다. 몇 가지 특수구문을 보면 다음과 같다.

이중주어 구문: 주어가 두 개 나타나는 특수한 구문이다. 한국어에서 이중주어 구문은 두 가지 경우가 있다. 하나는 술어 자체가 이중주어를 요구하는

22) 한국어나 영어에서 일반적인 구문이 독일어나 러시아어에서는 재귀구문으로 나타나는 일이 많다.

경우이고 다른 한 가지는 소유격을 대신해서 주격 조사가 쓰이는 경우이다. 이중주어 구문은 유럽 언어에서는 보기 드문 현상이지만 일본어, 아랍어 등에서도 관찰된다.

(30) a. 나는 고양이가 무섭다/좋다/싫다.
b. 철수는 누나가 예쁘다/아프다.

이중주어를 요구하는 술어에는 '무섭다/좋다/싫다' 등 심리술어가 많고 그밖에 '필요하다' 같은 술어도 있다. 특히 유럽 언어들은 소유의 개념을 소유동사 *have*로 표현하는데 한국어와 같은 언어들은 존재동사를 이용한 이중주어 구문으로 표현하는 것이 특징이다.

(31) a. John has a sister.
b. 철수는 누나가 있다.

특수 주어표지 구문: 조직이나 단체, 기관 등이 주어로 올 때 한국어에서는 처소격 조사가 주어 표지로 사용될 수 있다. 국어문법에서는 이 때 '-에서'를 특수한 주격조사로 보고 있는데 어떻든 언어유형론적으로 볼 때 흥미 있는 현상이다. 한국어에는 이밖에도 특수한 방법으로 주어를 표현하는 예들이 더 관찰된다((33) 참조).

(32) a. <u>정부에서</u> 성명을 발표했다.
b. <u>우리 학교에서</u> 이겼다.

(33) a. 나**로서는** 이 일을 감당하기 어렵다.
b. 나**라면** 그런 일을 않겠다.
c. 철수**의 입장에서는** 그렇게 행동할 수밖에 없다.
d. 외국인 학생들**의 경우** 학과 MT에 참여하지 않아도 된다.

특수 목적격 구문: 한국어 격조사와 관련해서 또 한 가지 흥미로운 것은 (34)와 같은 목적격 조사의 쓰임이다. 이 경우 부사구라고 보아야 할 표현에 목적격 조사가 쓰이고 있는 것이다.

(34) a. 부산을 가다
b. 한 시간을 자다
c. 이틀을 굶다
d. 일주일을 놀다

대칭동사 구문: 한국어의 '사랑하다, 만나다, 좋아하다' 등의 술어는 문장구성방식이 영어와 아주 다르다. 즉 영어에서 이들 동사들이 문장을 만드는 방식은 한 가지 밖에 없는데 한국어는 세 가지가 있다((35) 참조).

(35) a. John loves / likes / meets Mary.
b. 철수는 영희를 사랑한다 / 좋아한다 / 만났다.
c. 철수는 영희와 사랑한다 / 좋아한다 / 만났다.
d. 철수와 영희가 사랑한다 / 좋아한다 / 만났다.

대명사의 생략

문장 가운데서 이미 알고 있는 대상에 대해서는 흔히 대명사를 사용하는데 지구상에는 대명사를 꼬박꼬박 쓰는 언어가 있고 보통 이를 생략하는 언어가 있다. 한국어는 대명사를 잘 쓰지 않는 대표적인 언어이다. 다음과 같은 간단한 대화 표현에서 영어와 한국어를 비교해 보면 좀 더 분명히 알 수 있다.

(36) 영어–한국어 대명사 생략(송경안, 2011)
A: Where are you going? (어디 가십니까?)
B: I am going to the downtown. (시내에 갑니다.)

A: Do you go shopping? (시장 보러 가세요?)

B: Yes, I go shopping. (예, 시장 보러요.)

A: When are you coming back? (언제 돌아오세요?)

B: I am coming back in two hours. (두 시간 후에 와요.)

위의 예는 1인칭, 2인칭 대명사 생략의 예이지만 한국어에서는 3인칭 대명사도 보통 생략한다.

(37) 어제 김사장님 만났어요? – 예, 만났습니다.

어제 김사장이 박사장 만났을까요? – 예, 만났습니다.

대명사 생략은 한국어만의 특별한 현상이 아니며 다른 여러 언어에서도 광범위하게 나타나는 현상이다. 유럽 언어 가운데서는 스페인어가 대표적인 대명사 생략 언어이다. 이 언어에서는 주어가 1, 2인칭일 때는 주어를 쓰지 않고 동사 활용어미로 주어를 인식하는 것이 일반적이며 주어가 3인칭인 경우에도 혼동의 여지가 없으면 생략하는 경우가 많다((38) 참조). 스페인어에서는 또 주어가 불분명한 경우에도 주어를 생략할 수 있다(이충회·김원필, 2008: 550).

(38) Hablo	'I speak.'
Hablas	'You speak.'
Hablamos	'We speak.'
Habláis	'You(pl) speak.'

이상과 같은 한국어와 영어의 차이는 외국어교육과 관련해서 영어 학습자와 한국어 학습자 모두에게 어려움을 줄 것으로 예상된다. 즉 영어에서는 대명사를 꼬박꼬박 써야 하는데 한국 사람들은 영어를 배울 때 대명사를 생

략해 버리는 경향이 있을 것이다. 반대로 영어에 익숙해 있는 사람들이 한국어를 배울 때는 불필요한 대명사를 자꾸 쓰려는 경향을 보일 것이다. 또한 대화 속에서 한국어에 생략되어 있는 대명사를 파악하는 데 어려움이 있을 것이다. 이들은 또 영어 대명사에 대한 적절한 한국어 대응표현을 찾는데 어려움을 겪을 가능성이 있다. 한국 사람들은 영어의 대명사를 선택하는 데는 큰 어려움은 없을 것이나 3인칭 대명사 사용에 있어서 영어의 *he/she/it* 등의 대명사를 원활하게 쓰기 위해 의식적인 훈련이 필요할 것이다.

토론해 보기

- 다음 문장의 두 가지 의미를 설명해 보시오.
  '철수는 소파에서 자는 아이를 보았다.'
- '동사가 문장의 핵'이라는 말을 예를 들어 설명해 보시오.
- "나는 돈이 필요하다."를 영어로 번역하고 두 언어의 차이를 말해 보시오.

제6장 언어의 의미와 사용

언어의 의미 : 의미론

의미의 의미

의미의 유형

의미의 성분

의미의 영역과 의미장

언어의 사용 : 화용론

언어사용과 맥락

언어사용과 화행

언어사용과 함축

언어사용과 공손의 원칙

먼저 생각해 보기

언어의 의미

- '새' 하면 떠오르는 새는? '타조, 펭귄'은 새일까?
- '수, 우, 미, 양, 가'의 의미는?
- 어휘는 사전적 의미만 가질까?

언어의 사용

- 한 언어를 사용할 수 있다는 것은 그 언어의 어휘의미와 체계, 문법을 잘 이해하고 사용할 수 있다는 것과 같은 의미일까?
- "나 오늘 기분이 참 거시기 하니까 우리 거시기 해 불자"라는 화자의 말을 청자는 어떻게 적절히 잘 이해하고 반응하는 걸까?

언어의 의미 : 의미론

언어는 형식과 의미로 이루어진다. 언어의 형식은 소리이고 의미는 그 소리가 갖는 뜻이다. 소리를 가시적으로 표시해 주는 것이 문자인데 이 역시 일종의 형식이라고 할 수 있다. 형식은 형태소, 단어, 문장 등 여러 가지 언어 단위로 나눌 수 있다. 지금까지 우리는 주로 이러한 언어 형식에 대해 논의했다. 이 단원에서는 이제 언어의 또 다른 측면인 의미에 대해 논의하고자 한다.

의미의 의미

그렇다면 이 '의미'란 무엇일까? 이 물음은 의미 연구에서 기본적으로 이해해야 할 과제 중 하나이다. 의미의 본질을 규명하려는 시도는 고대로부터 현대 언어학에 이르기까지 끊임없이 지속되면서 다양한 모습으로 전개되어 왔으나 '의미'만큼 정의를 내리기 어려운 술어도 없을 것이다.

의미의 의미는 정의 내리기 어려운 만큼, 그에 관한 많은 연구들이 있어 왔는데, 크게 보면 언어의 의미가 고정되고 명확하다는 관점과, 유동적이고 경계가 불분명하다는 관점으로 대립된다. 언어의 의미는 고정적인 것일까? 유동적인 것일까? 이 두 가지의 견해는 흔히 '고정 의미 가설'과 '유동 의미 가설'로 불린다(임지룡, 1991 : 65-70).

전자의 견해는 단어의 의미란 본질적으로 고정되어 있는 것으로, 모든 언어에는 고정된 심리적 영상(mental image)이 있다. 예를 들면 '정사각형'이라는 언어기호는 그것이 지시하는 실체들에서 연상되는 심리적 영상이 있는데, 이 심리적 영상이 곧 의미라는 것이다. '닫힌 도형이며, 네 개의 변이 있고, 변의 길이와 각이 동일한 것'이라는 조건을 충족시키면 이를 '정사각형'이라고 하는데 우리는 머리 속에 이러한 이미지(개념)를 가지고 있다.

이에 반해 유동 의미 가설은 의미란 고정되어 있는 것이 아니라 경계가 모호한 것으로 본다. 예를 들면 '착하다'라는 단어의 의미는 그 분명한 경계를 찾을 수 없고 단지 모호한 경계선만으로 이해하게 된다. 화자의 주관적인 판단에 따라 '착하다'고 할 수도 아닐 수도 있다는 것이다. 이 두 가지 관점에 대해 조금 더 자세히 살펴보기로 한다.

관점 1: 고정 의미 가설

1) 어휘의 의미는 어휘가 지시하는 대상

어휘의 의미는 그것이 지시하는 실제적이고 구체적인 사물이나 개념, 즉 지시대상(referent)이라고 보는 관점이다. 단어가 지시하는 지시물 자체가 그 단어의 의미라는 것이다. 예를 들면 '사과'와 '의자'의 의미는 그 말들이 지시하는 사물이다.

사과의 의미 =    의자의 의미 = 

이와 같은 관점에서 보면 '샛별'이라는 말의 의미는 그 표현이 지시하는 사물, 즉 별들 가운데 새벽에 가장 늦게까지 떠 있는 별(morning star)인 금성이다. 국어에는 또 '개밥바라기'라는 말이 있는데 이 말이 지시하는 사물은 저녁에 일찍 서쪽 하늘에 떠 있는 별(evening star)로 이 또한 금성이다.

이렇게 보면 '샛별'과 '개밥바라기'는 사실상 같은 별이고 이 두 단어가 지시하는 대상은 같은 것이다. 단어의 의미가 그 지시대상이라고 한다면 '샛별'과 '개밥바라기'의 의미는 결국 같은 것이라는 결론이 나오는데 이는 설득력이 부족하다. 샛별과 개밥바라기는 분명 그 의미가 다른 어휘라고 생각되기 때문이다.

의미를 어휘가 지시하는 대상으로 보는 관점은 이처럼 의미의 본질을 설명하기에 완벽하지는 않아 보인다. 특히 이 이론을 가지고 '사랑', '행복'과 같은 추상명사들의 의미를 설명하기는 어렵다. 추상명사는 지시대상을 상정하기가 어렵기 때문이다. 그렇다고 '사랑'이나 '행복'과 같은 추상명사가 의미가 없는 것은 아니다. 이러한 한계를 극복하기 위해 제시된 관점이 개념설이다.

2) 어휘의 의미는 어휘가 가지는 심리적 영상(mental image)

의미의 본질을 언어 표현이 지시하는 대상으로 보는 데서 오는 한계를 극복해 볼 수 있는 관점은 의미의 본질을 심리적 영상으로 해석하는 것이다. 심리적 영상이란 한 언어표현을 접할 때 우리 마음속에 떠오르는 관념이나 개념을 말한다.

[그림 1]에서 기호(A)는 언어표현이다. 언어표현은 일종의 기호이며 이 기호는 실재 세계에서 지시대상을 가지고 있다. 이때 기호와 지시대상 사이에는 직접적인 관계가 없는 것으로 본다. 즉 지시대상은 언어현상과는 별도로 존재한다는 것이다. 대신 우리는 머릿속에 그 기호에 대해 심리적 영상을 가지고 있는데 이것이 곧 의미라고 본다. 예를 들면 '사과'라는 말이 있는데 실재 세계에서 사과는 여러 가지 모양과 크기, 색깔을 가지고 존재한다. 이 때 사과의 의미는 실재 세계에 존재하는 여러 가지 사과들이 아니고, 우리의 머릿속에 있는 영상(개념)이라는 것이다.

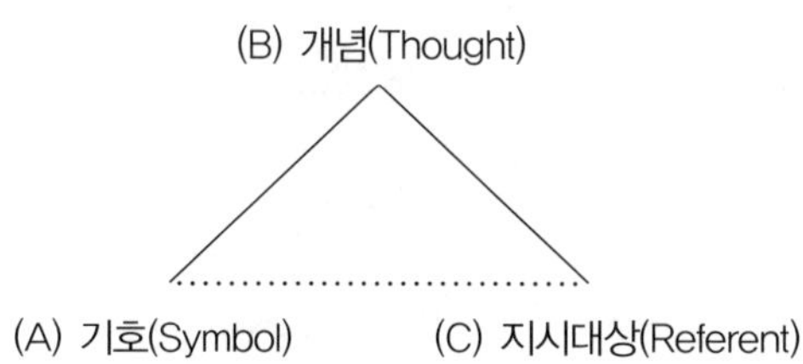

[그림 1: 3각 기호모형] (Ogden & Richards, 1923)

이 '개념'이 있기 때문에 우리는 모양과 크기, 색깔이 모두 다르지만 이들을 사과로 인식하는 것이다. 또 개('dog')라는 동물은 크기와 모양이 매우 다양하지만 우리가 이들을 모두 개로 인식하는 것은 이 심리적 영상이 있기 때문일 것이다.

두 종류의 개: 모양과 크기가 아주 다르지만 이들을 모두 개라고 부른다.

그러나 이러한 관점에도 한계는 있다. *and, or, for, of* 등과 같은 전치사나 '–을, –를, –이, –가, –에, –까지' 등과 같은 조사들은 심리적 영상이 없다. 또한 심리적 영상은 개인적인 것으로서 사람마다 모두 동일한 영상을 가지고 있다고 보기 어렵다. 게다가 언어표현을 이해하는 데 심리적 영상이 필수적이라면 영상화 능력이 부족한 사람은 이해력이 저조하다는 뜻인데, 이를 뒷받침할 만한 경험적 근거는 없다.

관점 2: 유동 의미 가설

다음 [그림 2]에 '꽃병, 컵, 주발'이라는 명칭을 각각 붙여보자.

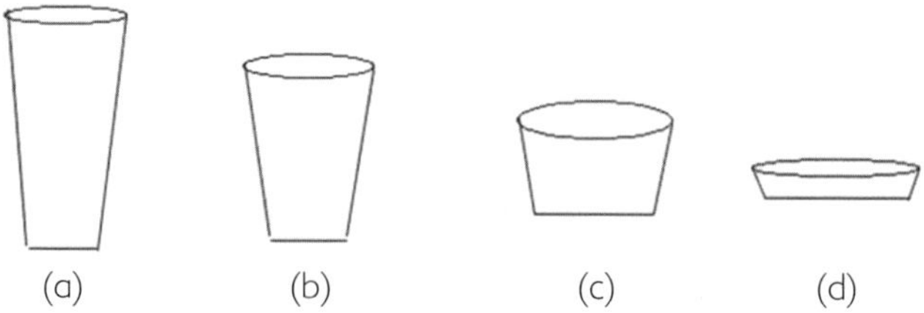

[그림 2: 모호한 가장자리 실험] (Labov, 1978: 222)

이 그림들에 손잡이를 그린 후 알맞은 이름을 다시 붙여보자. 처음과 같은가? 또 (a)에 커피가 담겨 있다면 컵이라고 하겠지만, 꽃이 담겨 있다면 꽃병이라고 할 수 있다. (b)도 마찬가지다. (c)에도 커피가 담겨 있다면 컵일 테고, 감자가 담겨 있다면 주발일 것이며, 만약 꽃으로 가득 차 있다면 꽃병이라고도 할 수 있다. (d)의 경우 꽃병으로 사용하기는 어렵겠지만 경우에 따라 컵과 주발로는 사용할 수 있을 것이다. 이와 같은 사실은 '컵, 꽃병, 주발'의 경계가 고정된 것이 아니라 유동적이라는 것을 보여준다. 즉 한 어휘가 끝나고 다른 어휘로 넘어갈 때 그 경계가 불분명하고 유동적이어서 의미는 고정된 것이 아니라는 것이다.

어휘의 의미가 유동적이라면 우리는 의미를 어떻게 이해할까? 어휘 의미가 유동적이라는 관점에서는 의미 습득이 원형(prototype)을 통해 이루어진다고 본다. 원형이란 그 범주를 대표할 만한 가장 '전형적' '적절한' '중심적' '이상적' '좋은' 보기이다. '새'라는 범주나 범주 요소들을 이해할 때는 가장 새다운 새의 원형을 통해 이해하며, '채소'를 이해할 때도 가장 채소다운 원형을 통해 이해한다는 것이다. 그렇다면 '새' 가운데 더 새답고 '채소' 가운데 더 채소다운 것이 있을까?

어떤 범주 명칭에 대해 사람들이 더 원형적이라고 여기는 것이 있는지에 대한 실험이 있었다(Rosch, 1973; 1975). 이에 따르면 '가구'의 가장 원형적인 예는 '의자'이고, 보통의 예는 '벤치, 식기선반'이며 비원형적인 예는 '선풍기, 전화'로 나왔다. '채소'는 '완두콩, 홍당무'가 원형적인 예로 조사되었고, 보통의 예는 '양파, 감자', 비원형적인 예는 '땅콩, 쌀'로 나타났다. 이밖에 '차, 무기, 채소, 연장, 새, 운동, 장난감, 의류' 등의 원형에 대해서도 실험을 하였다. 이 실험은 사람들이 물건을 범주화할 때 하나의 범주에 속하는 어휘들을 모두 동등하게 생각하는 것이 아니라, 이상적이고 견본이 되는 원형을 상정하고 이 원형의 특성에 따라 다른 대상들을 같은 범주로 묶는다는 것을 보여준다.

	원형적	보통	비원형적
가구	의자	벤치, 식기선반	선풍기, 전화
채소	완두콩, 홍당무	양파, 감자	땅콩, 쌀

[의미적 원형성의 예]

의미의 유형

앞에서 우리는 의미의 의미, 즉 의미의 본질을 밝히는 일이 아주 어려운 일일 뿐만 아니라, 의미에 대한 관점이나 입장의 차이에 따라서 여러 가지의 다른 이론이 있음을 보았다. 이밖에도 언어표현의 의미는 관점에 따라 여러 가지 유형으로 나눌 수 있다(Leech, 1981 : 제2장 참조). 다음은 언젠가 한 TV 개그 프로그램에 나오는 대사이다.

> "이번 주 소재는 '나이트클럽' 입니다. 사전에서 나이트클럽은 '밤에 술을 마시고 춤을 추며 쇼를 보고 즐길 수 있는 곳'. 하지만 개콘 현대 레알사전이[23] 해석한 것은……."

남자에게 나이트클럽이란? ▷ 여자 꼬시러 갔다가 아무 소득 없이 돈만 쓰고 오는 곳	여자에게 나이트클럽이란? ▷ 양주 맥주 공짜로 얻어먹고 싶을 때 가는 곳
여자 친구가 있는 남자에게 나이트클럽이란? ▷ 여자 친구 재우고 가는 곳	남자 친구 있는 여자에게 나이트클럽이란? ▷ 남자 친구한테 잔다고 하고 가는 곳
40~50대 남자들에게 나이트클럽이란? ▷ 자기들끼리 갔다가 자기들끼리만 신나게 놀고 물 흐리고 오는 곳	휴가 나온 군인에게 나이트클럽이란? ▷ 비니 쓰고 가는 곳
택시기사에게 나이트클럽이란? ▷ "세상 잘~돌아간다"고 말하며 기다리는 곳	개그우먼 박지선에게 나이트클럽이란? ▷ 미지의 세계

23) 이 개그 프로그램이 조사한 사물에 대한 다양한 개인적 이미지를 사전이라고 부른다.

위의 '나이트클럽'의 의미 중 나이트클럽의 진짜 의미는 무엇인가? 위에서 이야기 하는 모든 의미는 다 맞다. 언어의 의미에는 우선 사전적인 의미가 있다. 이를 개념적 의미(conceptual meaning)라고도 한다. 위에서 해석한 '나이트클럽' 의미 중 '밤에 술을 마시고 춤을 추며 쇼를 보고 즐길 수 있는 곳'이 사전적 개념적 의미이다. 그러나 언어는 이 사전적 의미만 있는 것이 아니고 이와 관련된 주변적이고 부수적인 의미들이 많다. 이를 연상적 의미(associative meaning)라고 한다.

연상적 의미는 다시 몇 가지 유형으로 나누어 볼 수 있다. 먼저 내포적 의미(connotative meaning)가 있다. 내포적 의미는 언어표현이 지시하는 것에 덧붙여 나타나는 전달가치로서 개념적 의미에 추가적으로 나타나는 의미이다. '그 사람 늑대야'에서 '늑대'의 의미는 사전적 의미로서의 늑대가 아니라 내포적 의미로써 [응큼함]의 의미로 쓰이고 있다. 또한 '노처녀'는 '혼인할 적절한 나이가 지나 버린, 시집가지 않은 여자'라는 사전적 의미 외에도 '[신경질적], [까다롭다], [눈이 높다]' 등의 내포적 의미를 지닌다. 내포적 의미는 누구나 공통적으로 인식하는 의미라고 할 수 없으며, 특정 상황이나 문맥에서 개념적 의미에 덧붙여 나타나는 의미이다. 따라서 개인이나 집단, 또는 사회의 전반적인 관점에 따라서 가변적으로 나타난다.

위의 예에서 보건대 여자에게 나이트클럽의 의미는 [공짜]의 의미도 함께 지니며, 남자에게 나이트클럽의 의미는 [돈만 쓰고 오는 곳]이라는 의미도 지닌다. '40–50대 남자에게 나이트클럽이란 자기들끼리 놀다가 물만 흐리고 가는 곳'으로 해석하는 것은 나이트클럽이 [젊음]의 의미를 내포하고 있음을 보여준다. 위의 예로 든 나이트클럽의 의미는 모두가 공동으로 인식하는 의미라고는 할 수 없다. 이는 특정 집단에 의해 부과된 의미로 가변적이다.

언어에는 또 말하는 사람의 감정이나 태도가 들어있는 경우가 있는데 이를 감정적 의미(affective meaning)라고 한다. 감정적 의미는 소리의 고저, 강세, 길이, 억양 등과 같은 운율적 요소에 나타나는 일이 많다. 위에서 예로 든 해석 중 택시 기사의 "세상 잘~ 돌아간다"는 나이트클럽에서 즐기는 젊은 남녀에 대한 택시기사의 감정적 반응이 들어있는 반어적 표현이다. 동일한 언어표현일지라도 화자가 어떠한 감정을 넣어 발화하느냐에 따라 그 의미는 얼마든지 달라질 수 있다. 다른 사람을 부를 때 'ㅇㅇ씨'라고 하면서, 강한 어조로 정색하듯 부르는 것과, 다정하게 부르는 것은 분명하게 다른 의미를 지닌다. 언어에 따라 감정적 의미가 발달된 경우가 있고 그렇지 않는 경우가 있는데 우리말은 특별히 이 감정적 의미가 강하게 나타나는 언어이다.

다음 (1)은 우리나라 사무실에서 흔히 일어날 수 있는 상황이다. 우리말에 '씨'라는 말은 사전에 존칭이라고 되어 있지만 감정이 실리기 쉬운 말이다. 후배 여직원이 이 말을 잘못 사용함으로써 계속 감정적 표현이 나온 것이다.

(1) 사무실의 대화에 실린 감정적 의미

여직원: 박기석씨? 그 서류 어디 두었어요?

박기석: 아니 "씨"가 뭐야, 선배한테?

여직원: "씨"가 어때서요? "씨"는 우리말에 존칭이라구요?

박기석: 나 참! 더러워 못 해 먹겠네.

여직원: 더럽다니요? 무슨 말이 그래요?

의미의 또 한 가지 유형은 사회적 의미(social meaning)이다. 예를 들면 우리는 예문 (2a)에서 화자의 출신지역은 전라도이고, (2b)에서 화자는 청자의 제자이며, (2c)에서 화자의 사회적 계층은 낮을 확률이 높다는 것을 예측할 수 있다. 화자와 청자와의 관계뿐 아니라 화자의 출신 지역, 계층 등을 알 수 있다.

(2) a. 낼 모레가 시험인데 암 껏도 못했당께.

b. 선생님, 그건 제가 할게요.

c. 여편네가 하라는 일은 안 하고 맨날 난리여!

이처럼 언어 사용자의 사회적 환경이 드러나는 의미를 사회적 의미라고 한다. 언어사용에서 사회적 상황을 드러내는 요소로는 화자와 청자의 연령, 성별, 직업, 종교, 또는 사회적 지위나 관계, 화자의 개인적이거나 지역적인 말씨 등 여러 가지가 있을 수 있다.

의미의 성분

단어의 의미는 하나의 덩어리로 이루어져 있을까? 아니면 몇 개의 의미 조각의 합으로 이루어져 있을까?

(3) a. *나의 어머니는 남자이다.
b. *나의 어머니는 나보다 손아래이시다.
c. *나의 어머니는 아이를 낳은 적이 없으시다.

(3)의 예문은 일반적으로 의미상 잘못된 문장이다. '어머니'라는 말에는 '여성', '1세대 위', '출산 경험' 등의 의미 요소가 내재되어 있기 때문에 이 의미 요소들과 충돌하는 문장은 비문이 된다. 이처럼 한 어휘의 의미는 몇 개의 의미 조각의 집합으로 이루어진다. 이때 한 단어의 의미를 이루고 있는 의미 조각을 의미성분이라 한다. 의미성분을 찾고, 조직하여 궁극적으로 단어의 의미를 규명하고자 하는 연구를 성분분석이라 한다. 영어 단어 *man*, *woman*, *boy*, *girl*의 의미성분을 보면 (4)와 같다.

(4) man: [+ADULT] [+MALE] [+HUMAN]
woman: [+ADULT] [–MALE] [+HUMAN]
boy: [–ADULT] [+MALE] [+HUMAN]
girl: [–ADULT] [–MALE] [+HUMAN]

이처럼 어휘의 의미는 하나의 의미 덩어리가 아니라 여러 의미 성분들의 합으로 이루어져 있고, 각 어휘가 그 의미 성분을 무시한 채로 사용되면 문장은 비문이 된다.

의미의 영역과 의미장

우리의 머릿속에서 어휘는 다른 어휘들과 관계없이 개별적이고 독립적으로 존재할까? 아니면 다른 어휘들과 연관을 지으면서 존재할까? 어휘들은 아무렇게나 나열되고, 독립적인 상태로 존재하는 것이 아니라 관련성이 있는 어휘끼리 일종의 연상군을 형성한다. 이렇게 형성되는 연상군들은 하나의 의미영역(meaning area)을 이룬다. 예를 들면 '높다'와 '낮다'라는 두 단어는 '높이'라는 공통의 의미영역을 이루고, '참새', '비둘기', '까치'는 '새'라는 공통의 의미영역을 이룬다. '빨강, 주황, 노랑, 초록, 파랑, 남색, 보라'는 '색채어'라는 공통의 의미영역을 이룬다.

공통의 의미영역을 이루는 어휘들은 동물명, 식물명, 금속명 등 큰 영역으로 나눌 수도 있고, 친족관계어, 공간 감각어, 온도어, 미각어, 색채어, 착탈어, 요리어, 감정어 등처럼 세부영역으로 나눌 수도 있다. 많은 철학자와 언어학자들이 개념이나 어휘의 분류를 시도하였는데, 그 가운데는 영어 어휘 25만여 개를 '추상관계, 공간, 물리학, 물체, 감각, 지성, 의지, 애정'의 8가지 의미영역으로 나눈 것도 있다.

이렇게 공통의 의미영역을 이루는 어휘들은 하나의 장(field)을 형성하는데 이를 의미장(semantic field) 또는 어휘장(낱말밭; lexical field)이라고 부르고 이에 대한 연구를 장이론(field theory)이라고 한다. '동물'의 의미장을 예로 들면 [그림 3]과 같다. 이 의미장은 짐승과 사람의 의미장을 이루며, 사람은 남자와 여자로, 여자는 다시 어른과 아이의 의미장으로 나눌 수 있다. 이 그림에는 없지만 짐승은 포유류, 조류, 파충류, 어류, 양서류 등의 의미장으로 나눌 수 있고, 각각의 의미장은 하위 의미장을 이루며 [그림 3]과 같은 계층적인 관계를 형성한다.

어휘장(의미장)은 더 작은 영역에서도 설정할 수 있다. 예를 들면 (5)와 같이 '온도'나 '미각' '색채어'를 표현하는 어휘들을 묶어 하나의 어휘장으로 볼 수 있다.

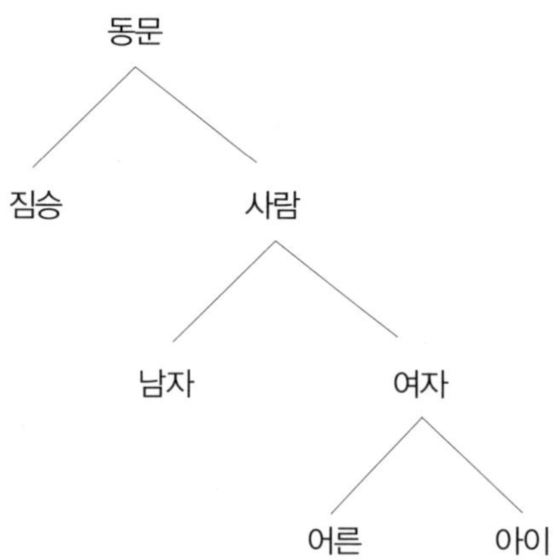

[그림 3: 의미장의 층위]

(5) 어휘장의 예

a. 온도

춥다, 덥다, 차갑다, 뜨겁다, 시원하다, 따뜻하다 미지근하다, 뜨뜻하다

b. 미각어

달다, 달콤하다, 짜다, 짭조름하다, 맵다, 매콤하다, 쓰다, 시다, 떫다

c. 색채어

하얗다, 파랗다, 까맣다, 거무튀튀하다, 파랗다, 파르스름하다, 노랗다

위와 같이 어휘는 공통의 의미영역을 이루면서 일정한 체계를 갖는데, 이때 개별 어휘의 의미는 전체적인 체계 내에서 이해해야 한다. 예를 들어 성적

에 관한 어휘들을 살펴보면 (6)과 같다.

(6) 성적 평가와 관련된 어휘: 수, 우, 미, 양, 가.

'수(秀), 우(優), 미(美,) 양(良), 가(可)'의 본래 의미는 각각 '빼어나다, 넉넉하다, 아름답다, 좋다, 가하다'의 의미이다. 그러나 성적의 의미영역을 이루고 있는 '수, 우, 미, 양, 가'에서 이들의 의미는 위와는 다르다. 우리가 낙제점으로 인식하고 있는 '가'도 사실은 '가하다'의 의미이고, '양' 또한 '양호하고 좋다'는 의미이지만, 여기에서는 이미 그 본래의 의미를 상실하였다. '미, 양, 가'의 본래 의미와 상관없이 우리는 대부분 '미, 양, 가'를 받고 싶지 않을 것이다. 아마 '우'도 싫은 사람이 있을 것이다. 즉 '수, 우, 미, 양, 가'의 의미는 그 어휘장 안에서 결정된다. 이처럼 어휘는 다른 어휘와 관련성을 가지고 어휘장을 형성하는데, 어휘의 정확한 의미는 이 어휘장의 체계 속에서 결정되는 경우가 많다.

토론해 보기

- 다음 표에 제시한 의미 범주들의 원형적 보기부터 비원형적 보기까지 찾아보자. 여러분이 제시한 인식의 틀은 개인 간 차이가 있는가? 문화적으로도 차이가 있을까?

의미범주	원형적 보기	보통 보기	비원형적 보기
가구 채소 운동			

- '감정'을 표현하는 어휘를 가능한 한 많이 적어보고, 이들을 의미영역별로 나누어 의미장을 그려보자.

언어의 사용 : 화용론

앞 장에서 우리는 언어의 의미에 대해 논의하였다. 그런데 우리가 언어생활을 하다 보면 언어표현의 정확한 의미를 파악하기 위해서는 언어표현이 갖는 의미 자체만으로는 부족하고 그 표현이 쓰이는 환경까지를 고려해야 하는 경우가 많다. 언어표현이 구체적으로 어떤 상황에서 사용되었는지에 따라 그 의미는 크게 달라질 수 있다. 이렇게 언어사용의 문제를 다루는 분야를 화용론(話用論; pragmatics)이라고 한다.

언어사용과 맥락

맥락(context)

한 언어를 사용할 수 있다는 것은 그 언어에 나타난 단어들의 의미와 어휘체계, 또는 문법을 잘 이해하고 사용할 수 있는 것만을 의미하지는 않는다. 의사소통을 위해서는 이러한 지식도 요구되지만 이들만으로 충분한 것은 아니며, 의미와 문법 외의 지식이 더 요구된다. 그러한 요소 가운데 하나가 맥락(context)이다.

(1) 오늘 나랑 밥 먹자.

위 문장 (1)은 오류가 있는 문장인가? 문법적·의미론적으로는 이상이 없는 문장이다. 그러나 원활한 의사소통을 위해 적절한 문장인가를 판단하기 위해서는 문법적 지식 외의 다른 지식이 요구된다. 위 문장의 적절성 여부는 화자와 청자의 관계에 달려 있다. 화자가 청자보다 윗사람이거나 동료일 때는 옳은 문장이지만, 청자보다 아랫사람일 때는 청자에게 혼이 나거나, 욕을 먹거나, 혹은 청자와의 관계가 어색해질 수도 있다. 화자와 청자의 관계는 지금껏 배웠던 통사론의 영역도, 의미론의 영역도 아니다. 이것은 구체적인 상황에서의 언어사용에 관한 문제이며 이를 다루는 분야를 화용론이라고 한다.

언어표현과 지시대상과 언어 사용자라는 세 가지 측면에서 통사론, 의미론, 화용론이 다루는 영역을 비교하면 (2)와 같다(Morris, 1938). 즉 통사론은 언어표현들이 어떻게 결합하여 문장을 만드는가를 다루는 분야이다. 의미론은 언어표현과 지시대상 사이의 관계를 연구하는 분야이다. 이때 우리는 의미란 기본적으로 지시대상이라는 관점에서 출발한다.[24] 화용론은 언어 사용자까지를 고려해서 언어의 의미를 해석하려는 것이다.

(2) a. 통사론: 기호(언어표현)들 사이의 관계
  b. 의미론: 기호와 지시대상과의 관계
  c. 화용론: 기호와 언어 사용자 사이의 관계

언어표현의 정확한 의미는 언어기호 자체만으로 결정되는 것이 아니다. 언어 사용자와 연관된 많은 요소들이 의미에 영향을 미치며, 따라서 언어표현의 의미를 해석할 때는 언어 외적인 요인들을 함께 고려해야 한다. 언어표현은 그것이 어떠한 상황에서 어떻게 쓰이냐에 따라 여러 가지 의미로 해석될 수 있다. 즉, 주어진 맥락(context)에 따라 의미가 크게 달라질 수 있다.

언어표현의 의미를 파악하는 데는 맥락이 매우 중요하며, 의사소통에서 맥락을 이해하는 것은 언어사용 능력과 직접적인 관련이 있다. 맥락은 언어적 맥락(linguistic context)과 상황적 맥락(situational context)으로 구분할 수 있다. 언어적 맥락은 텍스트의 언어적 구조 혹은 담화구조와 관련된 맥락을 말

24) 현대 형식의미론은 보통명사뿐만 아니라 다른 언어표현들의 의미도 지시대상으로 해석하려고 한다. 예를 들면 '걷다'라는 동사의 지시대상은 '걷는 개체들'로 본다.

하고, 상황적 맥락이란 화자, 청자를 비롯한 참여자와 그들의 믿음, 환경, 대화주제, 시공간 등의 언어외적 요인들을 포함한 맥락이다. 후자를 '화맥'이라고도 한다.

맥락은 정적인 개념이 아니라 동적인 개념이다. 대화에 참여하는 사람들은 맥락을 통해 상호작용을 하며, 이 상호작용이 언어표현을 이해할 수 있게 하는 넓은 의미의 환경이다. 맥락을 이해하고 의사소통에서 적절하게 사용할 수 있다는 것은 다음 (3)과 같은 언어적, 화용론적 지식이나 능력이 있음을 말한다(Lyons, 1977 : 574–585; Levinson, 1983: 23).

(3) a. 대화 참여자의 역할과 지위에 대한 지식
b. 대화와 관련한 공간적, 시간적 위치에 대한 지식
c. 대화의 공식성과 비공식성의 정도에 따른 대처능력
d. 문장의 스타일에 대한 지식(문어/구어/연설문/판결문 등)
e. 대화의 주제에 대한 적절한 지식
f. 대화와 관련한 전문영역에 대한 적절한 지식

맥락 해석의 예, 직시(deixis)

대화 참여자들이 맥락을 통해 상호작용하고, 이러한 상호작용을 통해 의미를 해석한다는 것은 (4)와 같은 예에서 볼 수 있다.

(4) a. 내가 조금 전부터 너를 여기서 기다리고 있었다.
b. 창수가 2015년 5월 10일 3시부터 광주역에서 정희를 기다리고 있었다.

예문 (4a)에서 '조금 전'은 정확한 시간으로 언제인가? '나', '너'는 누구이며 '여기'는 어디인가? 이에 답하기 위해서 우리는 예문 (4a)의 발화가 이루어진 맥락을 알고 있어야 한다. '조금 전', '나', '너', '여기'라는 표현은 사용하는 사람이 어떤 배경에 있는가에 따라 의미가 달라진다. 이처럼 사용하는 사람이

처한 배경에 따라 의미 해석이 달라지는 표현을 직시표현(deixis)이라고 한다.

발화 맥락과 관계가 없는 표현은 비직시 표현이다. 예문 (4b)의 '창수, 정희, 2015년 5월 10일 3시, 광주역'이 그 예이다. 직시표현은 고정적인 실체를 지시하는 것이 아니라, 발화 맥락에 따라 주어진 화자, 청자, 지시체, 장소 또는 시간과 같은 특정한 실체를 지시한다.

직시는 자기중심적인 방법으로 조직된 맥락 표현의 대표적 예이다. 중심인물은 화자이고 중심 시간은 화자가 말하는 시간이다. 중심 장소는 화자의 발화 위치이고, 청자나 지시대상의 신분이나 지위와 관련된 사회적 정보도 화자 중심으로 이루어진다.

직시는 인칭, 시간, 장소, 담화 직시로 나누어진다. 인칭직시는 대화와 관련된 사람들을 화자가 가리키는 것으로 인칭대명사로 표현된다. 시간직시는 화자가 사건과 관련된 시간을 가리키는 것으로 '지금, 방금, 시방, 아까, 요즈음, 요사이, 오늘, 어제, 내일, 모레' 등의 부사로 표현된다. 장소직시는 '여기 , 거기, 저기, 이곳 , 그곳 , 저곳 , 이리 , 그리 , 저리, 오른쪽, 왼쪽, 앞, 뒤, 올라오다, 내려오다, 돌아오다, 뛰어오다, 데려오다, 가져오다' 등 발화 장소와 관련된 표현들을 말하며, 담화직시에는 '앞에서, 위에서' 등 담화 내용의 일부를 가리키는 말이다.

언어사용과 화행

우리가 어떤 문장을 발화하는 것은 어떠한 행위를 수행하는 것이다. 즉 말하는 것도 일종의 행위라는 것이다.

(5) a. 이 장갑! 잃어버려도 너~무 자주 잃어버려. 바꿔 줘!

b. 브라우니(개 이름) 물어!

c. 아아! 바꿔 드릴게요.

(5)는 TV의 개그콘서트에 나오는 대화의 일부인데, 여기서 화자들은 발화행위와 함께 어떤 다른 행위를 하고 있다. (5a)는 단순히 말하는 행위 이외에 '요청'의 행위를 한 것이며, (5b)는 '명령'의 행위를, (5c)는 '약속'의 행위를 수행하고 있다. '선언, 질문, 약속 제안, 명령' 등의 행위들은 화자가 언어로 표현함으로써 성립하는 것이다. 이처럼 우리가 언어를 사용하면서 함께 수행되는 행위를 화행(speech act)이라고 한다. 발화와 관련해서 (6)과 같이 3가지 차원에서 행위가 이루어진다.

(6) 발화와 관련된 행위(Austin, 1975)
  a. 언표적 행위(locutionary act):
    의미를 가진 문장을 발화하는 행위
    (단순한 언어표현 행위, 모든 언어표현)
  b. 언표내적 행위(illocutionary act):
    언어표현 행위와 함께 수행되는 행위(예: 약속, 권고, 명령 등)
  c. 언향적 행위(perlocutionary act)[25]:
    발화의 결과 및 영향으로 일어나는 행위
    (예: 약속 후 이를 이행하는 행위)

예를 들어 '바꿔드릴게요'라는 발화는 '바꿔드릴게요'라는 문장을 발화하는 행위에 '약속'이라는 행위가 수반된다. '바꿔드릴게요'라는 발화 자체가 언표적 행위이고, 이러한 발화행위에 수반되는 '약속'이라는 행위가 언표내적 행위이다. 또한 이러한 '약속'의 결과로 물건을 교환해 주는 행위는 언향적 행위가 된다.

언표내적 행위가 적절하게 성립하려면 필수적으로 갖추어야 할 조건들이 있다. 발화가 상황에 맞게 적정하게 쓰이기 위해서는 전제되어야 할 조건들이 있다는 뜻이며 이를 적정조건(appropriateness condition)이라고 한다(Searle,

25) 언향적(言響的) 행위: 언어표현의 영향으로 일어나는 행위라는 뜻이다.

1969). 예를 들어 철수가 영희에게 '내일 꼭 극장에 데려갈게!'라고 말할 경우 이것이 적절한 발화행위, 즉 적절한 약속행위가 되려면 (7)과 같은 조건들이 충족되어야 할 것이다. 또 '피고 김철수에게 징역 5년을 선고합니다.'는 발화는 법정에서 판사가 할 때 적절한 것이며 교수가 강의실에서 학생에게 한다면 장난이 될 것이다. 적절한 발화가 아니기 때문이다.

(7) a. 극장에 함께 가는 일은 미래의 사건이다.
b. 극장에 가는 것은 영희가 바라는 것이다.
c. 철수는 극장에 함께 갈 의지가 있어야 한다.
d. 철수는 극장에 갈 신체적 조건이 되어 있어야 한다.
e. 철수는 이후 영희를 극장에 데려갈 의무감을 갖는다.

화행(speech act)은 표현방식에 따라 직접화행과 간접화행으로 구분할 수 있다. 기본적인 문장의 유형을 평서문, 의문문, 명령문이라고 할 때 이 문장 유형들의 일반적인 언표내적 행위는 각각 진술, 질문, 명령 또는 요청이다. 이렇게 언표적 행위가 언표내적 행위를 직접 표현할 때 이를 직접화행(direct speech act)이라고 한다. (5)는 직접화행의 예이다.

한편 우리는 명령문이나 청유문을 사용하지 않고도 '명령'이나 '요청' 행위를 할 수 있다. 예를 들면 (8a)는 진술문의 형식을 띠지만 '우산 챙겨라.' 혹은 '창문을 닫아라.' 등의 명령이나 권고 행위가 될 수 있다. (8b)는 '조심하라'는 경고가 될 수 있다. (8c)는 길을 가르쳐 달라는 요청행위를 간접적으로 하고 있는 것이다. 이와 같이 언표내적 행위를 간접적으로 표현한 것을 간접화행(indirect speech act)이라고 한다.

(8) a. 비가 온다.
b. 이 집에는 사나운 개가 있습니다.
c. 시청이 어디 있는 줄 아세요?

언어사용과 함축

Grice(그라이스)는 의사소통을 할 때 대화가 원만하게 진행되기 위해서 우리가 지켜야 할 일반적인 원칙이 있다고 전제한다. 대화는 참여자들이 임의적으로 만든 발화의 연속체가 아니라, 언어가 효과적으로 사용될 수 있도록 대화 참여자들이 서로 협조하면서 주어진 규칙을 준수한다는 암묵적인 약속에서 이루어진다는 것이다. 이것을 협력의 원리(CP: cooperative principle)라고 한다. 협력의 원리는 다음 (9)과 같은 일반 원리와 (10)와 같은 네 가지의 하위 원칙(conversational maxim)으로 이루어진다.

(9) 협력의 원리

대화의 각 단계에서 대화의 목적이나 방향에 맞게 공헌하라.

(10) 대화상의 협력을 위한 4가지 하위 원칙[26)]

a. 양(quantity)의 원칙
- 필요한 만큼의 정보를 제공하라.
- 필요 이상의 정보를 제공하지 말라.

b. 질(quality)의 원칙
- 참된 정보를 제공하라.
- 거짓이라고 믿는 것은 말하지 말라.
- 적절한 증거가 없는 것은 말하지 말라.

c. 관계(relation)의 원칙
- 관련성이 있게 대화하라.

d. 방법(manner)의 원칙
- 명료하고 정확하게 말하라.

26) 이 하위 원칙(conversational maxim)을 '대화격률'이라고 번역하기도 하는데 이 책에서는 이해의 편의를 위해 '(하위) 원칙'이라고 하겠다.

- 불명료한 표현을 피하라.
- 중의성을 피하라.
- 간결하게 하라.
- 순서에 맞게 말하라.

이에 따르면 대화 참여자는 적절한 양의 정보를 제공하면서 사실을 이야기하고, 주제와 관련 있는 내용을 말하고, 모호함을 피하고, 간단하고 순서를 지켜 말함으로써 서로 협력해야 한다. 화자는 이 원칙들을 준수할 수도 있고 위반할 수도 있다. 이러한 협력의 원리 및 하위 원칙과 관련해서 중요한 개념이 함축이다.

함축(implicature)
함축이란 화자가 발화할 때 직접적으로 전달한 것 이외에 추가적으로 전달된 의미로, 화자가 문장으로 실제 발화한 것은 아니지만 그 발화 속에 암시되어 있는 내용을 말한다.

(11) 손님: 이 음식이 값만큼의 값어치를 한다고 생각하세요?
주인: 무엇이 문제지요?
(12) 손님: 이 음식이 값에 비해 많이 부족하다.
(12')주인: 값에 비해 문제가 없다.
주인: 무엇이 문제인지 알고 싶다.

예를 들면 (11)은 (12)와 (12')의 의미를 함축한다. 함축은 특정한 어휘나 구문이 갖는 고정적인 의미 때문에 발생하기도 하고, 대화의 맥락과 일반적인 대화의 원리에 따라 발생하기도 한다. 전자를 고정함축 혹은 관용적 함축(conventional implicature)이라고 하고 후자를 대화함축(conversational implicature)이라고 한다. 관용적 함축은 위의 대화 원칙을 준수하면서 발생하고 대화함축은 이를 위반함으로써 발생한다.

1) 관용적 함축의 예

화자가 대화원칙을 잘 지키면서 언어표현 자체를 바탕으로 발생하는 함축을 말하며 몇 가지 예를 보면 다음과 같다. (13a)는 그 문장의 의미만으로도 (13b)과 같은 함축을 일으킨다. (14a)는 화자가 어떤 근거를 가지고 하는 말로 간주되기 때문에 (14b)를 함축한다.

(13) a. 영희가 이번 학기는 그런대로 잘 하고 있다.
b. 영희가 지난 학기에는 이번 학기보다 잘 하지 못했다.

(14) a. 영희는 어쩜 공부도 그렇게 잘하니?
b. 영희는 공부 외에도 잘하는 것이 있다.

또 (15a)의 명령에서, 화자가 요구하는 행위를 청자가 이행하는 시간은 현재라고 해석하는 것이 일반적이다. 따라서 (15a)의 발화는 (15b)의 의미가 함축되어 있다고 할 수 있다. (16a)의 발화에 (16b)의 의미가 함축되어 있다고 간주하는 것은 화자가 당연히 순서에 맞게 말을 한다고 가정하기 때문이다.

(15) a. 물 좀 주세요.
b. 지금 물을 주세요.

(16) a. 영희는 TV를 보다가 잠이 들었다.
b. 영희는 먼저 TV를 보고 나중에 잠이 들었다.

2) 대화함축의 예

일반적으로 대화 참여자는 상대가 당연히 대화원칙을 지킬 것이라고 추측하는데, 어떤 상황에서 화자가 의도적으로 이 원칙에 어긋나는 발화를 했다면, 청자는 화자가 이를 통해 함축된 의미를 전달하고자 한 것이라고 판단하고, 특별한 의미를 추론하게 된다. 이것이 대화함축이다.

양의 원칙을 위반하는 예 : 예문 (17)에서 정수는 필요 이상의 많은 정보를 제공함으로써 양의 격률을 위반하고 있다. 승희는 여기서 정수의 의도, 즉 정수의 말이 함축하고 있는 의미를 읽어야 한다. 예를 들면 '나는 당신 같은 여성에게는 관심이 없다'는 등.

(17) 승희 : 이름이 어떻게 되세요?
정수 : 제 이름이요? 첫 만남이니 통성명부터 하는 게 맞겠지요? 제 성은 박이고 이름은 정수입니다. 박정수. 뭐 이름을 부른다는 것이 특별한 의미는 없겠지만 만났으니 이름을 알기는 알아야겠지요.

예문 (18)에서 영희가 말한 정보는 누구나 아는 것으로 화자는 의도적으로 민수가 요구하는 정보를 제대로 제공하지 않고 있다. 그럼으로써 영희는 철수가 사는 곳을 알지 못하거나 그런 것에 관심이 없음을 간접적으로 말하고 있다. 경우에 따라서는 철수가 사는 것을 알고 있더라도 말할 수 없는 사정이 있는가 보다고 추론할 수도 있을 것이다.

(18) 민수 : 철수 요즘 어디 산대?
영희 : 대한민국 어딘가에 살겠지.

질의 원칙을 위반하는 예 : 예문 (19)에서 철수의 질문에 영희는 허위를 말한다. 질의 원칙을 위반한 것이다. 존재하지도 않는 람보와 슈퍼맨을 언급함으로써, 미국의 안보에는 관심이 없다거나 미국의 안보는 미국에서 알아서 할 일이라는 등의 의미를 간접적으로 표현한 것이다.

(19) 철수: 미국이 미사일 공격을 받으면 어떻게 하지?
영희: 걱정 마. 걔네는 람보도 있고 슈퍼맨도 있고 원더우먼도 있잖아.

관계의 원칙을 위반하는 예 : 예문 (20)에서 아들의 질문에 엄마는 전혀 엉뚱한 대답을 하고 있다. 이는 아들의 요구를 수용할 의사가 없음을 간접적으로 표현하는 것이다. 즉 '밥이나 먹어'라는 답은 아들의 요구에 대한 '거절'의 의미를 함축하는 것이다.

(20) 아들: 엄마, 저 용돈 좀 올려 주세요.
엄마: 밥이나 먹어.

예문 (21)은 TV 개그 프로그램의 한 코너에 나오는 대사이다. 이 대사들은 관련성 없는 문장들의 연결이다. 열심히 돈을 버는 것과 소고기를 사 먹는 일은 직접적 관계가 없다. 그런데도 많은 행위의 결과를 '소고기 사 묵겠지'와 관계를 지음으로써 웃음을 유발하고 있다.

(21) 무언가를 열심히 하면 뭐하겠냐? 돈 많이 벌겠지. 돈 많이 벌면 뭐하겠냐? 소고기 사 묵겠지. 소고기 사 묵으면 뭐하겠냐? 힘내서 또 뭔가를 열심히 하겠지. 뭔가를 열심히 하면 뭐하겠냐? 돈 많이 벌어서 소고기 사 묵겠지…….

방법의 원칙을 위반하는 예 : 예문 (22b)에서 화자는 (22a)의 질문에 명료하게 답하지 않고 있다. 방법의 원칙 가운데서 '불명료한 표현을 피하라'는 규칙을 위반하고 있는데, 사실 의사는 이러한 발화를 통해 환자에 대한 판단을 피하고 싶다는 것을 우회적으로 전달하고 있는 것이다.

(22) 보호자: 환자 상태가 어떻습니까?

의사: 글쎄요, 저런 상태로 사나흘 가다가 갑자기 깨어난 사람도 있기는 합니다만, 대여섯 달 가는 경우도 있고 더 오래 가기도 하지요. 좀 더 지켜보시지요. 기적같이 깨어나는 사례가 종종 있지 않던가요?

우리가 언어로 세상을 표현할 때 사진으로 찍듯이 있는 그대로를 보여줄 수 있다면 언어 때문에 발생하는 많은 오해들을 피할 수 있을 것이다. 그러나 이는 불가능하다. 예를 들면 "어제 뭐 했느냐?"는 질문에 우리는 있는 그대로 답할 수 없으며 중요하다고 생각하는 것만 선택하고 덜 중요한 것들은 생략한다. 세상을 있는 그대로 표현하기 위해서는 너무 많은 언어가 요구되기 때문이다.

그래서 인간은 추론과 함축이라는 방법을 사용하게 되었을 것이다. 의사소통은 화자가 전달하고자 하는 내용을 있는 그대로 말로 표현하지 않고 적당한 부분은 듣는 사람이 알아서 처리해 주기를 기대한다. 합리적인 대화 참여자들은 대화의 공통 목표를 달성하는 방향으로 대화를 이끌어 가면서 공동의 노력을 기울인다. 즉 대화 참여자들은 협력의 원리를 지키면서 발화 행위를 하는 것이다. 이러한 발화 행위 속에서 대화원칙에 의거하여 추론되는 의미가 함축이다. 위 예문 (8)에서 본 간접화행도 대화함축에 해당한다. 화행의 관점에서 보면 간접화행이지만 함축의 관점에서 보면 대화함축인 것이다.

언어사용과 공손의 원칙

공손의 원칙은 언어사용의 태도 문제로 Lakoff(레이코프)나 Brown & Levinson(브라운과 레빈슨) 등이 제안한 언어사용 규칙이다. 우리가 대화할 때 대화자 상호 간에 관계를 증진시키기거나 우회적으로 표현하기 위해 의도적으로 협력의 원리를 위반하는 경우가 많다. 그러나 공손의 원칙을 위반하면 무례가 될 수 있기 때문에 이는 앞의 대화원칙보다 우선적으로 지켜야 하는 상위 원칙이다.

Lakoff의 공손의 규칙

의사소통을 위해 Grice가 제시한 대화의 원칙은 화자가 자신의 의도를 어떻게 분명하게 전달할 것인지, 또 상대방의 말 속에 들어있는 의미나 의도를 어떻게 정확히 알아낼 것인지에 관한 규칙이다. Lakoff (1977)는 Grice의 대화원칙들을 '명료하게 말하라'는 한 마디로 정리할 수 있다고 보고, 여기에 대화능력에 있어서 아주 중요한 다른 하나의 원칙, 즉 '공손하라'는 원칙을 더했다. Lakoff는 이 원칙을 (23)과 같이 세 개의 세부 규칙으로 제시하였다.

(23) Lakoff의 **공손의 규칙**(rules of politeness)

a. 강요하지 말라

b. 선택의 여지를 주어라

c. 청자를 평등하게, 기분 좋게 대하라

우리가 손님을 초대해서 식사 준비를 마쳤다면 거실에서 대화를 나누고 있는 손님들에게 다음 중 어떤 언어표현을 해야 가장 공손한 표현이 될까? 예문 (24a)보다는 (24b)가, (24b)보다는 (24c)가 상대방에게 강요하지 않고 선택의 여지를 남겨두고 있으므로 더 공손한 표현법이 된다.

(24) a. 식사하세요.

b. 지금 식사하시겠습니까?

c. 식사가 준비되어 있습니다.

(25)의 공항까지 태워 달라는 요청도 (25a)보다 (25b)의 질문식 요청이 더

공손하게 들리는 것은 상대방에게 강요하지 않고 핑계를 댈 수 있는 여지를 두고 있기 때문이다.

(25) a. 공항까지 태워주세요
b. 공항까지 태워주실 수 있으시겠습니까?

(26)은 이와는 조금 다른 예이다. 즉 이는 음식을 대접하는 입장에 있는 A와 대접 받는 B의 대화로서 한국의 문화에서 쉽게 접할 수 있는 상황이다.

(26) A: 이것 좀 드셔보세요.
B: 이미 많이 먹었습니다. 배가 불러서…….
A: 이게 건강에도 좋다고 하던데 맛 좀 보세요.
(A는 자신이 직접 음식을 집어서 B의 그릇에 놓아준다.)

이 상황에서 B는 자신의 거절에도 아랑곳 하지 않고 음식을 먹으라고 강요하는 듯한 A에게 기분이 상했을까? B에게 선택권을 주지 않는 A는 무례한 것인가? 거절의 의미가 상대를 배려한 양보이거나 체면을 세우기 위한 예의상 거절로 해석되는 사례는 한국 문화 뿐 아니라 아랍 지역과 아시아 지역의 문화에서 자주 발견된다. 그러나 미국인의 파티에서 예의상의 거절을 한다면, '강요하지 말라'는 규칙을 지키려는 예의바른 미국인 주인은 더 이상 음식을 권하지 않을 것이므로, 그 손님은 음식을 충분히 먹지 못할 수도 있을 것이다. Lakoff의 공손의 규칙은 문화에 따라 상당히 가변적이라고 할 수 있으며, 문화에 따라서는 (26)과 같이 적절하게 적용이 안 될 수도 있다.

Brown & Levinson의 공손전략

다양한 문화에 적용할 수 있는 좀 더 명확하고 근본적인 공손의 원리에 대해서는 Brown & Levinson(브라운과 레빈슨, 1978)에서 논의되었다. 이들은 대화

중 언어사용 전략을 구사하는 사람들의 일반적인 욕구에 주목하고, 공손법과 관련해서 충족시키고자 하는 대화자들의 욕구를 '체면 욕구'라는 용어로 정리하였다. 여기서 '체면'이란 동양적 문화 개념으로, 대화 참여자들의 감정과 관련된 것이며 상호작용에서 항상 주의를 기울여야 한다. 만약 이 '체면'이 손상되면 난처한 상황에 처하게 되기 때문이다. Brown & Levinson은 대화자의 체면 욕구를 (31)과 같이 적극적 욕구와 소극적 욕구로 구분하였다.

(27) Brown & Levinson의 두 가지 체면 욕구

a. 적극적 체면 욕구: 남에게 인정받고 싶은 욕구

b. 소극적 체면 욕구: 강요나 간섭을 받고 싶지 않은 욕구

대화자들은 자신과 상대방의 이 두 가지 체면 욕구를 만족시키기 위해 대화전략이 필요한데 이것이 곧 공손전략이다. (27)의 두 가지 욕구를 충족시키기 위한 공손전략은 (27')과 같다. '적극적' 전략이란 상대방을 배려해서 적극적으로 어떤 행위를 하는 것이고, '소극적' 전략이란 상대방을 배려해서 특정한 행위를 피하거나 하지 않는 것이다.

(27') 두 가지 체면 욕구를 위한 공손전략

a. 적극적 공손전략: 상대방에게 인정받고 싶은 욕구를 채워주는 전략. 칭찬, 동의, 친근감이나 유대감을 표현하는 언어행위가 여기에 속한다.

b. 소극적 공손전략: 상대방의 소극적 체면 욕구를 훼손하지 않는 전략. 강요하지 않고 선택의 여지를 준다.

Lakoff의 공손의 규칙이 주로 소극적 공손전략에 초점이 맞추어져 있다면, Brown & Levinson은 칭찬이나 동의, 친근감 표현 등 적극적인 전략을 중요한 공손의 범주에 넣고 있는 점이 다르다. 공손의 범위를 적극 확대한 것이

며 다른 문화에서도 더 폭넓게 적용할 수 있을 것으로 보인다. 가령 (26)의 한국적 상황은 (27'a)의 적극적 공손전략으로 설명이 가능할 것이다. 상대방의 '거절'을 겸양으로 이해하고 더 적극 음식을 권하는 것이 공손한 행위이다.

한국적 문화에서 있음직한 (28)의 상사와 부하 직원 사이의 대화는 이러한 관점에서 해석할 수 있다. 상사와 부하가 솔직한 의중을 직접적으로 표현하지 않는 것은 서로의 체면을 손상하지 않기 위한 전략이다. 즉 상사는 자신의 '저녁 먹고 가자'는 요청이 부하에게 부담으로 작용하지 않도록 해야 한다. 또 부하 직원은 그러한 상사의 요청을 거절하면 안 된다. 상사의 자존심이나 체면에 손상이 갈 수 있기 때문이다. 만일 이 요청을 거절하려면 상사의 자존심이 상하지 않도록 언어적으로 최선의 노력을 해야 한다.

(28) 상사: 날도 춥고 배도 출출하네.
부하: 저녁… 먹고 가실까요?
상사: 그냥 집에 가서 먹어도 돼.
부하: 제가 맛있는 집을 압니다.
상사: 김 대리는 부인이 기다릴 텐데 괜찮겠어?
부하: 걱정 마십시오. 오늘은 제가 모시겠습니다.

문화에 따른 공손법의 차이

Brown & Levinson의 체면 이론으로 여러 다른 문화에서의 공손전략을 설명할 수 있을 것이다. 그러나 대화에서 서로의 체면 욕구를 만족시킬 수 있는 구체적인 방법이나 공손법의 수위는 문화에 따라 다를 수 있다.

식탁에서 권하는 문화가 좋은 예이다. 다음 (29)의 대화는 한국과 독일의 손님 초대 상황에서 있을 법한 것으로 두 나라의 문화적 및 공손법의 차이를 잘 보여준다. 한국에서는 주인이 권할 때 더 먹을 수 있음에도 '많이 먹었다'고 대답한다. 음식이 맛있고 풍성했다는 뜻이다. 남에게 인정받고 싶은 주인의 체면 욕구를 위해서이다. 한국인 주인은 이러한 한국식 공손법을 알고 더

권한다. 이 역시 상대방을 배려해서 적극적으로 권하는 공손전략이다. 이것이 한국의 문화이며 공손법이다. 독일의 경우 음식 앞에서 한국처럼 체면을 많이 차리지 않는다. 충분히 먹지 않았으면 주인이 권하는 음식을 '감사합니다!' 하고 받아 먹는다. 그리고 진짜로 충분히 먹었을 때 '배부르다'고 말한다. 그러면 독일 사람들은 더 이상 권하지 않는다. 소극적 공손전략이다.

(29) 주인: 이것 좀 드셔보세요.
손님: 많이 먹었습니다.

(한국)
주인: 이게 건강에도 좋다고 하던데 맛 좀 보세요.
(주인은 음식을 집어서 손님의 그릇에 놓아준다.)
손님: 아이구, 감사합니다.

(독일)
주인: 아, 그러세요? 그럼 천천히 드십시오.
손님: 예, 감사합니다.

이러한 차이는 가까운 한국과 일본에서도 나타난다. 예를 들어 (30)의 경우처럼 연구실 이사를 도와달라는 지도교수의 요청을 거절해야 할 때 교수와 학생 자신의 체면 손상을 피하기 위해 노력하는데, 한국 학생과 일본 학생이 다른 방식으로 공손법을 이행하고 있는 것을 볼 수 있다(원지은, 2009: 189).

(30) 지도교수 연구실 이사를 도와달라고 부탁을 거절하는 상황
일본 학생: 그날은 좀 일이 있어서 죄송합니다만 미안합니다. 무리입니다.
한국 학생: 어, 교수님 정말 죄송해요. 저희 집에 나이 어린 동생이 있는데요, 엄마가 직장 다녀서 늦게 오시니까 제가 밥을 챙

겨줘야 하거든요. 그래서 그 날 좀 일찍 가봐야 될 것 같은데요. 다음에는 꼭 도와드릴게요, 교수님!

(30)에서 서로의 체면 손상을 피하기 위해 일본 학생은 정중한 사과를 반복하고 있고 한국 학생은 거절해야 할 이유를 구체적으로 길게 설명하고 있다. 연구에 의하면 일본인은 한국인에 비해 짧고 추상적인 이유를 말하지만 한국인은 거절의 이유를 길고 상세하게 말함으로써 상대방에게 거절의 타당성을 충분히 이해시키려고 하는 경향이 있다(원지은, 2009 : 189).

토론해 보기

- Grice의 네 가지 대화원칙을 위반하는 예를 각각 찾아보자.
- 공손전략으로 간접적인 표현을 쓰는 대화를 만들어 보고 그 속에 숨은 뜻을 이야기해 보자.

제7장 언어와 사회

언어에 투영된 사회

지역과 계층에 따른 언어의 변이

지역에 따른 언어변이

계층에 따른 언어변이

언어변이의 변화

언어와 성

남녀 언어 차이의 발생원인

남녀 언어 차이의 양상

통신 언어

통신 언어의 특징과 발생원인

통신 언어 사용양상

먼저 생각해 보기

언어변이

- 다음 문구는 1955년 한 치약회사의 광고 문구이다.
  "미제와 꼭 같은 럭키치약"
  이 광고가 현재 한국 현대인들에게 어떤 정보를 전달하는가?
  1955년의 한국인들에게는 어떤 정보로 이해되었을까?
  현대 한국사회에서 치약 선전은 어떤 문구를 사용하는가?
- 다음 네 사람은 어떤 지역적 배경을 가진 사람들일까? 그리고 이들 방언에 대한 인상은 어떤가?
  가: 저는 당신을 사랑합니다. 당신도 그런가요?
  나: 지는 당신 밖에 없슈. 당신도 기여유?
  다: 아따 난 거시기 허다. 넌 그냐, 안 그냐?
  라: 니 내 존나? 맞나?

언어와 성

- 여성은 남성과 대화할 때 왜 종종 남성이 단순하다고 생각하는 걸까?
- 이성과의 대화에서 소통의 어려움을 느낀 적이 있는가? 경험을 적어보고 소통의 어려움을 발생시키는 원인을 말해보자.

통신언어

- 통신 언어에서는 다음처럼 발음 나는 대로 혹은 발음과 비슷한 표기들로 넘쳐난다. 왜일까?
  · 노라줘
  · 나 너 마니 조아하는데 넌 나 시러하니?
  · 진짜 조아, 추카추카
  · 념행, 고파서링
- 자신의 휴대폰을 꺼내어 문자나 카카오톡에 사용된 언어 중 일상에서 사용하는 표현과 다른 것을 찾아보고, 다른 표현을 사용하는 이유에 대해 생각해 보자.

언어에 투영된 사회

인간은 사회적 동물로서 사회를 떠나서는 살 수 없다. 언어는 사회를 구성하고 유지하기 위해 필수적인 도구이다. 의사소통이 없는 사회는 생각할 수 없기 때문이다. 언어는 따라서 사회와 불가분의 관계에 있고 언어에는 사회현상이 나타난다.

언어에는 인간 사회의 다양한 모습들이 반영되어 있다. 언어에는 그 사회의 공통된 인식이나 가치관이 투영되어 있고 사회 구성원들의 사고방식, 문화 그리고 여러 가지 사회적 현상들이 드러나 있다. 예를 들어 다음의 광고 카피들을 보면 그 광고가 만들어진 당시 사회적 배경과 구성원들의 가치관을 짐작할 수 있고 2000년대 한국 사회와의 큰 차이를 느낄 수 있을 것이다.

1955년 치약광고를 보면 국내에서 생산된 공산품이 변변히 없었던 당시 전후 상황에서 미군부대를 통해 들어온 미제 생필품들의 가치가 어떠했을지 짐작할 수 있다. 또 미국에서 흘러들어온 서구적 생활방식의 대중화 과정도 눈에 보인다. 이전에는 소금을 손가락에 묻혀서 이를 닦았는데, 이제 치약이라는 것을 사용하기 시작한 것이다.

(1) 1955년 경향신문 럭키치약 광고:

"미제와 꼭 같은 럭키치약"

(2)는 1975년과 2012년의 현대자동차 광고이다. 자동차를 산업발전을 대표하는 자랑스러운 상징물로 인식하던 1975년의 인식과 자동차가 부나 개성의 표현이 된 2012년의 인식변화를 읽을 수 있다. 이처럼 동일한 나라, 동일한 언어를 사용하는 집단이라고 하더라도 시대에 따라 다른 가치관을 갖게 되고 이러한 차이는 그 시대의 언어표현에 반영된다.

(2) a. 1975년 현대자동차 광고

"우리 힘으로 만든 한국 최초의 고유모델 포니 탄생"

b. 2012년 현대자동차 광고

"요즘 어떻게 지내냐는 친구의 말에 그랜저로 대답했습니다"

위 광고들은 2010년대를 살고 있는 한국사회 구성원들은 1950년대나 1970년대의 구성원과 다른 사고방식을 가지고 있다는 것을 보여준다. 시대에 따라 사용하는 언어표현이 다르고 그 의미도 달라진다. 1955년에 빈번히 사용되던 '미제'라는 단어는 오늘날 잘 사용하지 않으며 그 의미(인식)도 달라졌다. 2010년대에 매일 듣게 되는 '인터넷', '핸드폰' 등의 용어가 1970년대에는 없었다. 그러므로 2010년대의 한국사회 구성원들은 1970년대 구성원들과 다른 '언어공동체'라고 볼 수 있다.

언어공동체란 같은 언어기호를 사용하여 정규적으로 그리고 빈번하게 상호작용을 하고 언어의 차이로 인하여 다른 집단과는 구분되는 집단을 말한다(Gumperz, 1968). 언어공동체는 보통 국가나 민족, 혹은 언어별로 경계를 설정하지만 같은 국가나 민족이라고 하더라도 시대에 따라 나눌 수 있다. 분류 기준을 더 세분화하여 지역, 연령, 성별, 문화, 계층 등으로 나눌 수도 있을 것이다. 각 언어공동체는 그들만의 독특한 표현 방식, 발음, 단어 등의 언어적 특성을 갖게 되므로 우리는 한 사람의 언어를 듣고 그 사람의 출신 지역, 나이, 성별, 계층 등을 알아챌 때가 있다. 이는 그 사람이 속해 있는 언어공동체의 언어적 특성을 우리가 인지하고 있기 때문이다.

개인은 여러 집단에 속할 수 있고 그때그때의 역할이나 상황에 따라 해당 집단의 언어적 특징을 드러낼 수 있다. 예를 들면 의사 선생님이 병원에서 환자에게 쓰는 언어와 초등학교 동창회에서 쓰는 언어는 다를 것이다. 이처럼 언어는 특정 언어공동체의 특징이나 언어사용의 상황 등 여러 가지 사회적 요소를 들여다 볼 수 있는 창이 된다.

지역과 계층에 따른 언어의 변이

하나의 의미는 언어공동체나 언어사용 상황에 따라 다양한 언어형식으로 표현될 수 있다. 이렇게 다양한 형식으로 나타나는 언어표현들을 언어변이(variation) 또는 방언(dialect)이라고 한다. 언어변이들은 음운론적, 어휘적, 형태론적, 문법적 차이를 보일 수 있다. 조그만 우리나라만 보더라도 지역에 따라 많은 언어적 차이를 보인다. 예를 들면 경상도 방언에는 모음 [으]가 없고 자음 [ㅆ]도 없다. '할아버지, 할머니'를 '할베, 할메'라고 하는데 이는 어휘적 차이이다. 또 '너 왜 그러느냐?'를 '니 와 카노?'라고 하는데 이것은 단순한 소리의 차이를 넘어서 형태론적, 문법적 차이라고 할 수 있다.

지역에 따른 언어변이

지역별로 뚜렷이 구분되는 지역 방언들은 언어변이의 좋은 예이다. 한국어의 경우 예를 들면 (3)과 같은 방언적 차이를 보인다. 방언은 사용자 사이에 동질감과 친밀감을 느끼게 한다. 이를 통해 사용자들은 자신들의 정체성을 확인하기도 하며 지역에 대한 자부심을 표현하기도 한다. 때로는 자기 지역에 대한 부정적 태도나 타 방언에 대한 호감을 언어에 드러내기도 한다. 그러므로 지역적 언어변이를 연구함으로써 지역사회 구성원들의 공통된 의식변화 또는 사회현상을 알아볼 수 있다.

(3) 서울·경기지역: 저는 당신을 사랑합니다. 당신도 그런가요?
충청지역: 지는 당신 밖에 없슈. 당신도 기여유?
전라지역: 아따 난 거시기 허다. 넌 그냐, 안 그냐?
경상지역: 니 내 존나? 맞나?

한국인의 방언에 대한 태도에 대해 1981년에 각 지역의 고등학생 344명을 대상으로, 2003년에 각 지역의 대학생 180명을 대상으로 조사를 실시한 바 있다(이정민, 1981; 강범모, 2003). 표 (4–5)는 이 조사 결과의 일부이다.

(4) 자신의 지역 방언에 대한 한국인의 시대적 태도 변화 (%)

<table>
<tr><th rowspan="3">방언</th><th rowspan="3">태도</th><th colspan="4">자기 방언 평가</th></tr>
<tr><th colspan="2">1981</th><th colspan="2">2003</th></tr>
<tr><th>남</th><th>여</th><th>남</th><th>여</th></tr>
<tr><td rowspan="3">영남방언</td><td>듣기 좋다</td><td>60</td><td>19</td><td>29</td><td>37</td></tr>
<tr><td>믿음직하다</td><td>70</td><td>52</td><td>71</td><td>26</td></tr>
<tr><td>무뚝뚝하다</td><td>70</td><td>81</td><td>86</td><td>100</td></tr>
<tr><td rowspan="3">호남방언</td><td>듣기 좋다</td><td>47</td><td>29</td><td>92</td><td>83</td></tr>
<tr><td>믿음직하다</td><td>65</td><td>41</td><td>54</td><td>25</td></tr>
<tr><td>촌스럽다</td><td>24</td><td>53</td><td>23</td><td>13</td></tr>
<tr><td rowspan="3">충청방언</td><td>듣기 좋다</td><td>25</td><td>15</td><td>80</td><td>70</td></tr>
<tr><td>점잖다</td><td>50</td><td>65</td><td>80</td><td>50</td></tr>
<tr><td>촌스럽다</td><td>30</td><td>70</td><td>40</td><td>40</td></tr>
<tr><td rowspan="3">서울 · 경기방언</td><td>듣기 좋다</td><td>92</td><td>92</td><td>93</td><td>95</td></tr>
<tr><td>점잖다</td><td>46</td><td>27</td><td>76</td><td>72</td></tr>
<tr><td>차갑다</td><td>0</td><td>0</td><td>22</td><td>44</td></tr>
</table>

이에 따르면 한국인의 자기 지역 방언에 대한 태도가 대체로 긍정적이며 1980년대에 비해 2000년대에 더 긍정적으로 변했고, 특이 호남인들의 지역 방언에 대한 긍정적 태도가 눈에 띄게 향상되었다. 이는 충청 방언에서도 비슷한 경향을 보인다. 영남지역 남성의 경우는 예외적으로 자기 지역 방언에 대해 '듣기 좋다'는 응답자가 2000년대에 오히려 줄었음을 알 수 있다.

(5) 지역 방언에 대한 타 지역 사람들의 평가(%)

방언	태도	타 지역 사람들의 평가	
		1981년	2003년
영남방언	무뚝뚝하다	18	66
	씩씩하다	20	59
	촌스럽다	0	31
	듣기 좋다	0	27
	귀엽다	0	24
	믿음직하다	0	23
	듣기 싫다	20	21
호남방언	정겹다	0	51
	촌스럽다	0	44
	듣기 좋다	0	29
	귀엽다	0	24
	씩씩하다	0	23
	간사하다	33	22
	듣기 싫다	35	17
	상냥하다	8	17
충청방언	답답하다	0	56
	정겹다	0	46
	촌스럽다	25	45
	듣기 좋다	0	22
	점잖다	22	21
	귀엽다	0	21
	상냥하다	0	18
	듣기 싫다	17	11
서울 · 경기방언	듣기 좋다	75	74
	점잖다	0	57
	상냥하다	47	53
	차갑다	0	39
	무미건조하다	0	38
	간사하다	11	32
	믿음직하다	0	23

또 한 가지 흥미로운 것은 1980년대는 자신의 방언에 대한 태도에서 남녀 간의 격차가 뚜렷했으나 2000년대에는 그 격차가 많이 줄어들었다는 것이다. 과거 자신의 방언에 대해 대체로 부정적 반응을 보이던 여성들이 많은 항목에서 긍정적 반응을 보였고 남성들보다 더 긍정적 의견을 보인 항목도 있다.

타 지역 방언들에 대한 태도도 역시 긍정적으로 변화하였음을 알 수 있다(표5 참조). 2003년 조사 결과를 토대로 각 방언에 대한 다른 지역 사람들의 인식을 좀 더 구체적으로 살펴보면 흥미로운 사실이 관찰된다. 다른 지역 사람들은 영남방언에서 씩씩한 인상과(59%) 무뚝뚝한 느낌을(66%) 받고 있는데 이는 과거부터의 일관된 의견이나 2000년대에 와서 더 강화된 것으로 나타났다. 1981년 조사에서 호남방언은 '간사하다(33%)', '듣기 싫다(35%)'와 같은 부정적인 평가로 일관되었었다. 특히 '듣기 싫다'는 의견의 비율이 모든 방언들 중에 가장 높았었다. 그러나 2003년 조사에서는 '정겹다' (51%), '귀엽다'(24%), '듣기 좋다'(29%) 등의 긍정적인 반응이 높이 나타났다. 80년대에 '점잖다'(22%), '촌스럽다'(25%)는 인상을 갖고 있던 충청방언은 2000년대에 '답답하다'(56%), '정겹다'(46%), '촌스럽다'(45%)로 바뀌었다.

표준어에 대한 긍정적 인식은 시대에 따라 큰 차이가 없으나, 1980년대에는 나타나지 않았던 부정적 인식이 2000년대에 와서는 많이 나타난다. 즉 80년대에 서울·경기 방언에 대해서는 '듣기 좋다'(75%), '상냥하다'(47%)가 큰 흐름이지만 2000년대에 '듣기 좋다'(74%), '젊잖다'(57%), '상냥하다'(53%)는 긍정적 평가와 함께 '차갑다'(39%), '무미건조하다'(38%)는 부정적 평가가 두드러지게 나타난다. 그러나 아직까지 자기 지역 출신의 90%이상, 타 지역 출신의 70%이상이 서울·경기 방언을 '듣기 좋다'고 답함으로써 표준어로서의 지위를 확고하게 하고 있음을 알 수 있다.

이와 같은 지역 방언에 대한 태도 변화는 산업화 과정에서 나타났던 지역 간의 갈등, 그리고 이후의 정권교체, 이어서 나타난 수도권과 지방 사이의 대립 등의 사회적 변화와 무관하지 않을 것으로 보인다. 전체적으로 볼 때 자기 지역 방언에 대한 긍정적 인식은 과거 보다 높아졌고, 타 지역 방언에 대해서도 과거의 부정적 태도는 아직 남아 있지만 긍정적으로 변화하는 경향을 보이고 있다. 자신의 지역 방언 뿐 아니라 타 지역 방언에 대한 긍정적 관심과 친근감이 높아졌다고 볼 수 있겠다.

계층에 따른 언어변이

지역에 따른 언어변이 이외에 사회계층에 따른 언어변이도 많이 나타난다. 이에 대한 대표적인 연구로 사회언어학의 선구적 연구자였던 Labov(라보브)의 연구가 있다. 그는 1960년대에 미국 사회의 계층에 따른 모음 뒤 /r/ 발음의 차이에 대해 연구하였다. 예를 들어 당시 미국에서 *car*나 *heart*에 들어가는 모음 뒤 /r/은 발음이 되는 경우도 있고, 영국의 표준 영어처럼 발음이 탈락되는 경우도 있었다. 그는 이러한 모음 뒤 /r/의 발음이 사회계층에 따라 차이가 있는지를 조사하였다.

Labov는 이 조사를 위해 계층별로 선호하는 세 개의 백화점을 선택하였다. 뉴욕의 *Saks 5th Avenue, Macy's, S. Klein*인데 이 세 곳은 각각 상류, 중류, 하류층을 대상으로 하는 백화점이다. Labov는 각 백화점의 4층에서 살 수 있는 물건을 정해놓고 그 물건을 몇 층에서 살 수 있는지를 그 곳의 직원들에게 질문했다. 자신의 백화점 고객과 매일 대화를 나누는 직원들에게 "On the fourth floor!"라는 대답을 무의식적으로 발화하도록 유도하기 위해서였다. 단어 *fourth*와 *floor*를 통해 모음 뒤에 연결된 /r/의 발음 차이를 알아본 결과 모음 뒤 /r/ 탈락 비율은 다음과 같았다.

(6) 모음 뒤 'r' 탈락 비율

Saks 5th Avenue (상류)	30%
Macy's (중류)	41%
S. Klein (하류)	82%

연구 결과는 하층 계급의 사람들에게서 모음 뒤 /r/ 탈락 현상이 뚜렷하

게 나타난다는 것이다. 발음의 차이를 통해 계층 간의 차이를 잘 보여주는 실험이라고 하겠다. 한편 모음 뒤 /r/ 발음의 탈락은 영국의 상류층이 사용하는 발음의 특징인데, 미국에서는 하류층에서 나타난다는 점이 흥미롭다. 이는 계층에 따른 언어변이가 자의적인 현상이라는 것을 보여주는 것이라고 하겠다. 즉 모음 뒤 /r/ 발음 탈락이 꼭 상류층에서만 일어나라는 법은 없다는 것이다.

언어변이의 변화

언어는 끊임없이 변화하고 언어공동체를 구분 짓던 지역별, 계층별 언어변이는 상황에 따라 약화되어 사라지기도 하고 또는 더 강화되어 두 공동체를 더 뚜렷이 구분하기도 한다. 그러면 언어변이에 변화를 일으키는 사회적 요인은 무엇일까?

먼저 언어의 변이가 약화되는 상황은 낮은 계층의 구성원들이 높은 계층의 언어적 특징을 닮아 가려는 경향 때문에 생길 수 있다. 또한 지역 방언 사용자들은 표준어의 특징을 받아 드리려는 경향이 있다. 이는 상류 사회에 대한 동경, 그리고 표준어를 바른 언어로 인식하는 사회적 분위기에서 그 요인을 찾을 수 있으며, 이러한 현상은 어느 사회에서든 보편적으로 나타나는 현상이다.

한편 이와는 전혀 반대의 현상이 일어나는 경우도 있다. 처음에 미미하던 언어의 차이가 점차 특정 언어공동체를 표시하는 뚜렷한 언어변이로 굳어지는 경우를 말하는데 여기에도 사회적 요인이 작용한다(Weinreich, Labov & Herzog, 1968; Labov, 1972). 첫째 경우는 상류사회와 하류사회 간의 언어변이가 굳어지는 경우이다. 이 경우 하류사회의 언어습관을 의식적으로 사용하지 않으려는 상류사회의 경향을 사회적 요인으로 들 수 있다. 일단 특정 언어습관이 하류사회 언어적 특징으로 낙인이 찍히면 상류층은 그 특징을 자신의 언어습관에서 배제하려고 한다. 이는 또 교육을 통해 자녀들에게 이어지게 된다. 이러한 의식적 노력은 상류사회와 하류사회의 언어차이를 더욱 강화시켜 놓을 수 있다. 하류계층 언어로 낙인찍힌 언어습관이 상류사회에서는 사라지고 하류계층의 언어로 고착화되는 것이다.

지역적 방언에서도 언어변이가 점차 강화되는 경우가 있다. 이러한 현상에는 자신의 지역에 대한 자부심이나 지역 공동체 구성원 간의 친밀감에서 그 사회적 요인을 찾을 수 있다. 즉, 자신의 공동체를 타 집단과 구분하고자 하는 의식이 자신들만의 언어적 특성을 더 확산시킬 수 있다.

1963년 Labov가 조사했던 마사스 빈야드(Martha's Vineyard)라는 미국 메사추세츠주에 있는 작은 섬의 이야기가 그 예이다. 이 작은 섬에는 일부의 주민들이 사용하는 독특한 발음이 있었다. 이중모음 [ay]를 [əy]로, [aw]를 [əw]로 발음하는 습관으로 *line*[layn]은 [ləyn]으로, *hause*[haws]를 [həws]로 발음하는 것이다. 그러나 이러한 특징은 주민들 중 일부만의 특징이어서 그 섬 주민 사이에는 [ay]와 [əy], [aw]와 [əw]가 혼용되고 있었다. 이러한 상황은 고립되어 있었던 그 섬이 관광지로 각광을 받게 되고 미국 각 지역의 사람들이 모여들게 되자 변화를 겪게 된다. 섬 주민 일부의 언어습관이 섬 전체 주민의 대부분이 사용하는 지역적 특징이 되었다. 더 나아가 이중모음을 가진 다른 단어에까지 비슷한 현상이 확산되기 시작하였다. Labov는 이러한 현상을 다른 그룹과 자신들을 구분 짓고 자신의 가치를 드러내고자 하는 의식이 언어에 영향을 미친 것으로 보았다. 이러한 변화는 계층적 언어변이와는 달리 자신의 언어적 변화를 의식하지 못한 채 진행된다.

토론해 보기

- 지역방언에 대한(자신의 방언과 타방언에 대한) 한국인의 태도가 시대적으로 변하게 된 사회적 요인에 대해 토론해 보자.
- 1980년대 한국여성들이 갖고 있던 지역방언에 대한 부정적 시각의 이유를 논의해 보고 2000년대에 들어 긍정적으로 바뀌게 된 이유도 생각해 보자.

언어와 성

언어변이를 일으키는 요인 중에는 '성'도 포함된다. 성에 따라 사용하는 언어가 다를 수 있다는 것이다. 언어에 나타나는 남녀 차이에 대한 관심은 오래된 것이지만, 남자와 여자가 사용하는 언어가 어떤 점에서 어떻게 다른지에 대한 논의는 일찍이 Jespersen(예스페르슨, 1922)에서 찾아볼 수 있다. 그에 따르면 여성은 남성과 다른 언어사용 양상을 보이는데, 남성에 비해 보수적이고 부사를 더 자주 사용하며 남성이 종속적 구문을 많이 사용하는데 비해 여성은 대등 구조문을 더 많이 사용한다. 이러한 성별적 차이를 성별방언 또는 성별어로도 부른다.[27)]

남녀 언어 차이의 발생원인

언어사용과 관련된 남녀의 생물학적 차이는 음성에서 차이를 보인다. Graddol & Swann(그레돌과 스완, 1989)에 따르면 평균 음높이는 사람에 따라 다르지만 남성과 여성 사이에는 분명한 차이가 있다. 남성의 경우 성대 진동의 주파수가 1초에 80Hz~200Hz인데 여성의 경우는 400Hz까지 올라가 더 정확하게 발음한다고 한다. 남성의 낮은 음높이는 대화에서 상대방에게 위압적, 지배적이라는 느낌을 주게 되고, 반면 여성의 높은 음높이는 날카롭고 감정적으로 들려 불신적, 복종적, 친화적 그리고 부수적인 태도로 다가서는 느낌을 준다고 한다.

27) 이 단원의 내용은 민현식(1998), 전혜영(2006), 최용선(2003), 이기갑 · 최경룡(2011)을 주로 참고하였다.

생득적 측면에서의 남녀 간 언어 차이에 대한 연구 중에는 음질의 기능이나 남녀 간 억양 패턴의 차이를 조사한 것이 있다. 이에 따르면 여성은 남성보다 억양이나 강세의 변화가 더 많고 감정적이다. 특히 강세는 놀랐을 때나 완곡한 어법과 공손함을 나타낼 때 더 많이 변한다.

사회문화적 요소도 남녀 간 언어의 차이를 가져온다. 지배자적 위치에 있는 남성들이 지배자적 표현을 많이 사용하고 여성은 종속적인 언어를 사용해 왔다. 남녀의 탄생과 동시에 여자는 여성 문화가 주어지고, 남자는 남성 문화가 주어짐으로써 언어적 차이가 생긴다. 성별에 따른 음색이나 음의 높이와 같이 생물학적 원인에서 발생하는 남녀 언어의 차이를 지칭하는 말은 '성차이어'이며, 가부장적인 남성중심의 사회구조 속에서 높은 지위의 남성을 기준으로 낮은 지위의 여성에 대한 차별의식을 드러내는 것을 '성차별어'로 구별한다.

남녀 언어 차이의 양상

주제 차이

여성과 남성은 관심 영역이 다르기에 대화 주제가 다르다. 이러한 주장을 바탕으로 남녀 직장인들의 대화를 분석해 본 결과 주제 어휘에서 두드러진 차이를 보였다. 여성은 직장에서도 가사, 육아 관련 어휘를 많이 사용하고 외모에 대한 이야기나, 연예에 관한 이야기가 주를 이룬다. 이에 반해 남성은 정치, 사회적 어휘가 많으며, 오락에서도 스포츠에 집중된 것으로 조사되었다.

여성의 주된 대화 주제:
육아, 가사, 미용, 상대 외모(용모, 화장, 이야기), 드라마, 방송, 연예, 연예인, 물건 싸게 산 이야기 등

남성의 주된 대화 주제:

직장일 관련 전문용어, 정치, 스포츠, 운동 선수, 일간지, 개인 건강, 정력 증진 등

발음상의 차이

남녀의 발화에서 음운적 차이를 보인다는 점은 일찍이 서구의 연구에서 지적되어 왔는데, 국어를 대상으로 한 연구에서도 다음과 같은 특징이 지적되고 있다.

1) 여성은 남성보다 경음을 더 많이 사용한다.

예: 다른 거–따른 거, 작다–짝다, 조금–쪼금/쬐끔 등

2) 여성 발화어에는 'ㄹ 첨가' 현상이 많이 나타난다.

예: 요거로–요걸로, 안 오려다가–안 올레다가, 알아보려고–알아볼라구 등

3) 억양에 남녀 차이가 있다. 평서문의 경우, 남성의 말은 짧고 급한 하강조로 끝나는 경향이 있고, 여성의 말은 다소 길고 완만하고 부드러운 억양 곡선을 그리는 경향이 있다. 의문사가 있는 의문문의 경우, 하강조로 끝나는 것이 전형적인 유형인데, 여성의 말에서 끝이 다소 올라가는 느낌을 준다.

4) 여성이 남성보다 표준발음을 지향한다.

선호하는 어휘의 차이

남녀가 선호하는 어휘에 차이가 있음을 지적한 논의들을 정리해 보면 축약 형태 어휘의 사용이나 감성을 나타내는 어휘, 공감을 나타내는 어휘 등의 사용 경향이 다음과 같이 나타난다.

1) **축약 형태**: 여성은 남성에 비해 축약된 형태의 어휘를 많이 사용한다.

예: 그치?, 근데, 어쩜, -죠, -잖아요 등

2) **지시사**: 여성은 지시사의 사용을 통해서 작고 귀여운 어감의 어휘를 선택한다.

예: 요것, 고것, 조것, 요기, 고기, 조기, 요거, 고거, 조거, 요게, 고게, 조게 등

3) **감성을 나타내는 어휘**: 여성은 감성을 나타내는 부사나 감탄사를 빈번히 사용한다.

예: '아마, 너무너무, 정말, 사실, 굉장히, 아주, 무지무지, 막, 참' 등의 부사

4) **공감을 나타내는 어휘**: 여성은 듣는 이의 말에 공감하고 있음을 나타내는 어휘를 많이 사용한다.

예: 그래서? 그런데? 그러게 말야, 그럼, 저런, 쯧쯧, 어쩌나, 참 잘됐다, 멋지다, 어머나, 정말이야? 등

5) **욕설과 금기어**: 여성은 욕설과 금기어를 잘 사용하지 않는 반면, 남성은 이를 강도 높게 사용한다. 여성의 경우 쓰더라도 '계집애, (그) 작자, -년' 정도가 고작이지만 남성의 경우 성, 생리, 혐오물, 혐오 관련 표현을 직설적으로 표현하는 일이 많다. 여성은 이런 것을 꺼리는 심성을 가지고 있어 완곡어법을 쓰거나 비유적으로 표현한다.

말하기 방식의 차이

남성과 여성은 말하기 방식에서 다음과 같은 차이를 보인다.

1) **사용하는 문장 유형의 차이**: 문장 유형면에서 볼 때, 남성은 여성보다 서

술문을 선호한다. 요청이나 명령을 할 경우에 남성은 명령문을 선호하고, 여성은 청유문을 선호한다. 여성들은 청자와의 대화지속을 위한 전략으로 의문문을 많이 사용한다. 단순의문문을 비롯하여 상대에게 동의 확인을 요청하는 다양한 부가의문문을 사용한다. '그렇죠?, 안 그래요?, 그렇잖아요?, 알았죠?, –은 거 있지(않아요?), –지 뭐니?, –지 않니?' 등을 사용한다.

2) **미완성 문장 사용**: 여성은 남성보다 문장을 완성시키지 않은 채 끝맺는 미완성형의 문장을 많이 사용한다.

3) **문체의 차이**: 남성은 격식체, 여성은 비격식체를 많이 사용한다. 따라서 남자는 아주 높임의 '–습니다'를 사용하고, 여자는 '–어요'를 쓰는 것이 일반적이다. 의문형에서 아주 낮춤의 경우 남성은 '–(으)냐'를, 여성은 '–니'를 사용한다.

4) **애매모호한 표현**: 여성들이 '–더라구요, –거 같아요' 외에 '–잖겠어요, 글쎄요, 몰라요' 등의 애매모호한 표현을 자주 쓴다.

5) **다변성**: 여성이 말이 많다는 점이 자주 지적되고 있다. 그러나 여성이 다변적이라고 보는 것은 편견일 수 있으며 남성이 더 다변적이란 견해도 있다.

6) **대화 방식**: 남성은 말차례 뺏기, 화제의 주도, 침묵 따위로 대화를 지배하면서 경쟁적 대화를 추구하지만, 여성은 맞장구치기를 한다든가 상대방 대화에 지원 반응을 보여주며 협동적 대화를 추구한다.

7) **찬사 사용**: 여성은 찬사를 남성보다 많이 하여, 주로 외모, 옷, 장식 등에 대한 직설적 찬사가 많으나 남성은 찬사가 드물다.

8) **공손 표현**: 여성이 공손한 표현을 많이 사용한다. '좀, 제발, –어 주다, –어 보다' 등과 같은 공손 표지의 쓰임이 많으며, 애매한 표현을 사용하거나, 맞장구치기, 간접적인 명령과 청유 표현을 사용하는 것이 공손함을 전달하기

위한 말하기 방식이다.

여성과 남성은 대화에 임하는 기본적인 태도나 정서에서도 차이가 난다. 여성이 뭔가 고통을 호소했을 때 남자들은 해결책부터 제시한다. 그러나 여성들은 남성이 제시한 해결책에는 관심이 없으며 남성의 이런 태도에 불만이다. 남성은 여성의 이런 태도를 불만스러워 한다. 남성이 해결책부터 제시하는 것이 여자들의 불만이라면, 남자들은 여자들이 고통을 호소하면서도 그 고통을 해결하려 들지 않고 불평만 반복하는 태도가 불만이다.

이는 여성이 중요시하는 것이 공감이라면 남성이 중요시 하는 것은 해결책이라는 차이에서 기인한다고 볼 수 있다. 여성들이 자신이 고통 받는 문제에 대해서 상대에게 이야기한다는 것은 그 불만을 듣는 상대방으로부터 공감을 구하겠다는 의도이다. 다시 말해 여성들이 고통을 호소한다는 것은 상대방으로부터 공감과 위로라는 암시를 받아냄으로써 상호관계를 강화하려는 것으로 볼 수 있다. 고통을 호소했는데도 이런 반응이 없다든가 오히려 해결책을 듣게 되면 이는 공감 없는 충고로 해석하여 상대에게 불만을 가지게 되는 것이다. 이외에도 남성과 여성의 대화 특성을 더 정리해 보면 [표 1]과 같다.

남 성	여 성
• 과묵성	• 다변성
• 경쟁적 대화	• 협동적 대화
• 동시발화나 말 가로채기가 많음	• 동시발화나 말 가로채기가 적음
• 맞장구치거나 찬사가 적음	• 맞장구치기나 찬사가 많음
• 단정어법, 직접명령이 많음	• 애매어법, 간접 명령, 청유법이 많음
• 문제해결과 일에 초점	• 공감에 초점
• 보고식 대화	• 정감적 대화
• 상대 이야기에 호응이 적음	• 상대 이야기에 호응이 많음
• 제안할 때 명령형을 많이 씀	• 제안할 때 청유형을 많이 씀
• 말 자체를 중요시 함	• 말의 속뜻을 중요시 함
• 가까운 사이라도 사실만 이야기 함	• 가까운 사이는 비밀까지 이야기 함

[표 1] 남성과 여성의 대화 특징(Tannen : 1990; 민현식 : 1998 참조)

남자와 여자는 같은 말을 두고도 왜 달리 해석하는지, 그리고 대화과정에서 왜 종종 오해가 발생하는 것인지에 대해 주목해 볼 필요가 있다. 인생의 대부분의 시간을 이성과 접촉하며 살아야 하는 우리로서는 남녀의 언어 사용과 대화 스타일을 알아야 한다. 대부분의 남녀가 자기식대로만 고집하다가 불화를 겪게 되기도 한다. 따라서 서로 다른 성별언어가 어떠한 것인지 인지하는 것은 우리에게 꼭 필요하다.

토론해 보기

- 성차별적 의미를 담고 있는 어휘나 표현을 찾아보자.

통신 언어

통신 언어란 컴퓨터 통신망과 통신망을 확대하고 결합한 형식인 인터넷에서 사용되는 언어로 '컴퓨터 통신 언어' 또는 '컴퓨터 매개 의사소통 언어'를 말한다. 즉 인터넷이나 휴대전화를 이용하여 의사소통하는 과정에서 사용되는 문자를 이른다. 현대사회에서 디지털 기기는 가히 혁명이라고 할 만하며 이를 이용한 언어활동은 현대인에게 빼 놓을 수 없는 생활의 일부가 되어 있다.[28]

통신 언어의 특징과 발생원인

통신 언어는 사이버 공간이라는 요인이 언어에 작용하여 나타나는 언어변이이다. 앞서 우리는 지역이 서로 달라 나타나는 언어변이를 방언이라고 했는데 통신 언어는 사이버 공간이 변인이 되어 나타나는 언어변이인 것이다. 이러한 통신 언어에서 우리는 몇 가지 특징들을 발견할 수 있다.

우리가 일상적으로 대화를 할 때 사용하는 언어는 음성 언어이다. 그러나 사이버 공간에서 대화할 때는 서로 마주 보고 대화할 수 없으므로 음성 언어를 사용하는 것이 아니라 문자를 사용한다. 통신 언어는 문자를 사용하여 대화를 한다는 점에서 문자 언어이지만, 대화의 형식을 띤다는 점에서 음성 언어적, 구어적 특성을 지닌다.

기존의 의성 의태어는 사물의 소리나 모양을 흉내 낸 말들이었지만, '핫핫핫, 쿡쿡, 카하하하하하하암' 등 통신 공간에서의 의성어나 의태어들은 인간

28) 이 단원의 내용은 주로 이정복(2003, 2009, 2011), 정선희(2008), 오창석(2010), 권정은(2007)을 참고하였다.

의 감정이나 정서를 표현하는 형태가 많다. 이는 컴퓨터 통신이 면대면 의사소통 방식이 아닌 비면대면의 의사소통 방식을 취하기 때문에 나타나는 현상으로, 문자로 표정이나 감정까지 표현하고자 하는 이용자들의 심리가 반영된 것이다.

통신 언어에서는 글자로 전달하기 어려운 감정, 얼굴 표정, 외모 등을 그림이나 기호로 바꾸어 표현하기도 한다. 각종 기호를 이용하여 의사를 표현하고, 의성 · 의태어를 사용하거나 문장 부호를 반복함으로써 전달하려는 의미를 강조하기도 한다. 바로 이러한 점이 통신 언어라는 언어변이를 발생시킨 주된 요인이다. 특히 대화방에서 소통되는 언어는 표현되는 양식만 문자이지 음성 언어에 더 가깝다고 볼 수 있다.

초기의 통신 언어는 통신 언어의 음성 언어적 특성과 맞물려 주로 경제적 동기가 강하게 작용하여 발생하였다. 전송 속도가 떨어지고 접속이 불안정했던 시절에는 글자를 빨리 입력하는 것이 문제였다. 이에 따라 음소 줄이기, 음절 줄이기와 같은 유형의 통신 언어들이 생겨났다. 대표적으로 줄임말, 자음으로 적기, 소리 나는 대로 적기, 서술어 줄이기, 붙여 적기 등이 있다. 기호를 이용한 표기도 많다. 통신에서 빠르게 의사를 교환해야 할 상황에서 특히 많이 이용되는 것으로 이모티콘 등이 그 예이다.

통신 공간에서 이루어지는 의사소통의 큰 목적 가운데 하나가 '재미'이다. 오타로 생긴 형식을 새 말처럼 지속적으로 쓰거나 알파벳 등을 이용하여 재미있게 적기도 한다. 끝말잇기, 빈칸 채우기, 퀴즈 등 여러 형식의 말놀이도 통신 언어의 중요한 하위 유형일 것이다.

인터넷 누리꾼들은 나이, 성별, 지역, 직업 등 비슷한 사람들끼리 친밀하게 교류하려는 특성을 강하게 보인다. 비슷한 사람들 사이에서는 같은 유형의 통신 언어를 함께 사용함으로써 동질성, 일체감, 소속감을 드러내게 된다. 인터넷은 사람들이 일상에서 벗어나 마음껏 표현할 수 있고, 마음대로 행동할 수 있는 일종의 '해방구'로 받아들여진다. 욕설과 비속어가 많이 쓰이는 것도 심리적 해방에서 그 동기를 찾을 수 있을 것이다. 이처럼 통신 언어는 표현적 동기나, 경제적 동기, 유희적 동기, 심리적 해방 동기 등이 요인으로 작용하여 기존의 언어 규범에서 벗어나는 경우가 많다.

통신 언어 사용 양상

언어규범에서 벗어나는 통신 언어의 사용양상은 다음과 같이 음운 · 형태 · 어휘 · 통사적 층위로 나누어 볼 수 있다.

음운 · 형태적 층위

1) **축약과 생략**: 축약과 생략 현상은 통신 언어를 사용하는 사람들이 시간과 노력을 줄이고 편리하게 사용하고자 하는 동기에서 비롯된 것이다.

> 예: 드뎌(드디어), 먄(미안) 넘(너무), 잼(재미) 셤(시험), 걍(그냥), 암튼(아무튼), 컴(컴퓨터)

2) **첨가**: 종결어미에 'ㅇ, ㅂ, ㅅ, ㅁ' 등의 자음이 삽입되거나 모음이 추가된다. 기존의 단어에 자음이나 모음을 첨가시킴으로써 표현을 부드럽게 만들고 친근한 인상을 주기 위한 것이다.

> 예: 아니염(아니요), 뭐얏(뭐야), 힘들당(힘들다), 오늘은 공부를 욜씨미 해야짓, 넵 알겠습니닷!, 구러지 말아욤, 자알(잘), 그러엄(그럼), 꼬옥~(꼭), 여러부운(여러분)

3) **음운교체**: 이중모음의 단모음화가 자주 나타나는데 이는 자판을 두드리는 횟수를 간소화시키거나, 표기의 경제성을 거스르면서까지 독특하고 개성 있는 느낌을 표현하기 위해 이중모음으로 교체하여 표현하기도 한다.

예: 안대(안돼), 머하니(뭐하니) 하자나(하잖아), 괜차나(괜찮아), 먹엇지(먹었지), 마늬(많이), 감솨(감사)

어휘적 층위

1) 은어: 통신상의 은어는 일상 언어와는 다른 개성화된 표현을 추구하는 청소년들의 일탈 의식으로 그러한 표현을 쓰는 사람들끼리 동질감을 느끼기 위해 사용된다.

예: 지못미(지켜주지 못해 미안해), 잉여(빈둥빈둥 노는 사람), 갑툭튀(갑자기 툭 튀어나온)

2) 비속어: 익명성으로 인해 조금 더 자유로운 분위기에서 대화를 하기 때문에 비속어의 사용이 나타난다.

예: 쌩까다(모른 척 하다), 선빵(주먹을 먼저 날림)

3) 약어: 약어 형태는 있어야 할 음절이 빠져 있는 상태이지만 이는 수용자들도 쉽게 생략된 것을 짐작하고 원 상태로 인식하기에 경제성을 추구하기 위해 긴 단어를 짧게 표현하려는 의도에서 생겨났다.

예: 안물(안 + 물어보다), 눈팅(다른 사람들의 채팅을 구경만 함)

통사적 층위

1) 어순 바꾸기: 화자가 강조하여 나타내려는 부분을 문장 앞머리에 위치시키려는 의도가 작용하여 어순이 바뀌는 현상이 나타난다. 또한 중요하게 생각하지 않은 문장 성분을 뒷자리에 둠으로써 자연스럽게 문장 뒷부분을 생략시키기도 하고, 마구잡이로 쓰는 경우가 생기기도 한다.

예: 졸린다…… 어제 잠을 못자서,

90점 나 기말고사서 받은 점수,

완전 실타 난 너가 그런짓 할 때마다

2) **문장 줄이기**: 경제성의 차원에서 문법적인 요소를 나타내는 종결어미 등을 일부러 적지 않는 현상이다.

예: 낼은 여친 만날 예정…,

지금 학교서 내준 숙제중…, 개짜증!!!

3) **명사형으로 종결**: 문법적인 의미를 나타내는 종결어미 등을 명사형으로 종결시킴으로써 자신이 전달하려는 의미만을 간편하게 나타내려고 하는 현상이다.

예: 나 어제셤 개피보고 완전 대성통곡함.

너 그딴식으로 했다간 피박쓸것임.

이외에도 소리 나는 대로 적거나, 문장 부호를 남용하거나, 띄어쓰기를 생략하고 붙여 쓰는 형태가 있다. 이처럼 통신 언어에서는 음운·어휘·통사적 측면 모두에서 규범에 어긋난 형태가 광범위 하게 쓰이고 있다.

통신 언어에 대한 바람직한 태도

통신 언어는 문자를 다양하게 변용하는 과정을 통해 대화 기능의 향상 효과를 가져왔다. 또한 이모티콘과 같은 통신 언어의 사용은 기존 문자에서는 불가능했던 다양한 감정 표현을 가능케 해서, 대화의 친밀도를 높이는 데 도움을 준다. 이런 점에서 통신 언어는 언어 다양화의 길을 열었다고 볼 수 있다.

그러나 통신 언어는 맞춤법 파괴 현상이 지나칠 정도로 만연해 있다. 처음에는 단순히 맞춤법 지식의 부족에서 비롯된 경우도 있었으나, 지금은 의도적인 '잘못 쓰기' 경향을 띤다. 그로 인해서 맞춤법 의식이 약화되고 있다. 통신 언어가 인터넷상에서만 사용된다면, 위에서 언급했듯이 긍정적인 효과를 기대할 수도 있지만, 일상생활에도 영향을 끼치기 때문에 문제가 발생할 수 있다.

통신 언어의 주요 사용계층은 10대와 20대로, 이들은 사이버와 일상에서 사용하는 언어를 구분하지 않는 현상을 보인다. 한 연구에 의하면 10대와 20대의 절반 가까이가 '통신 언어에 대해 잘 알고 있으며 자주 사용한다.'고 응답했다. 통신 언어를 일상 언어생활에서 사용하게 되면 일상어의 문법 파괴 현상이 일어나고, 통신 언어의 사용 여부로 비사용자가 소외감을 느낄 수 있으며, 통신 언어의 특성인 비속어나 공격적 언어 사용 양상이 현실에서도 나타날 수 있다. 이는 우리의 정서에 악영향을 주는 것이다.

통신 언어는 또 세대 간 의사소통의 문제도 가져온다. 10대나 20대와 달리 40대 이후 세대의 대다수는 '통신 언어에 대해 잘 몰라서 사용하지 않는다.'고 응답한 것으로 드러났다. 통신 언어에 대한 인식은 10대–20대와 50대 이후 세대 간에 극명하게 갈라지는 모습을 보인다. 또한 통신 언어의 긍정 및 부정적 기능에 관한 세대별 인식 조사 결과, 10대와 20대의 대부분이 통신 언어에 대해 우호적으로 인식하고 있는 반면, 50대와 60대 이상은 그 반대인 것으로 나타나고 있다.

이처럼 통신 언어는 문법 파괴, 세대 간 의사소통 단절, 공격적 폭력적 언어사용 등의 문제점을 야기할 수 있다. 하지만 이를 심각한 사회문제로 인식하기보다, 정보화의 진행에 따라 자연스럽게 나타나는 현상으로 이해하고 올바르게 받아들일 필요가 있다. 통신 언어의 사용은 인터넷 및 휴대폰 등 정보화 기기의 보급과 그에 사용되는 콘텐츠의 보급에 따라 필수불가결하게 수반되는 것으로, 그 자체를 금지하는 것은 현실적으로 어렵다. 통신 언어가 대화 상대에게 친근감을 표현하거나 화자의 감정을 전달하는 등 긍정적인 기능도 가지고 있는 만큼 무조건 사용을 금지시키는 것도 바람직하지 않다는 것이다. 통신 언어를 하나의 새로운 문화로 이해하여 이를 가꾸고 다듬는 노력을 전개하는 한편, 상대적으로 통신 언어에 덜 노출되는 장년층과 노년층이 이러한 문화에서 소외되지 않도록 하는 다양한 정책이 필요할 것이다.

토론해 보기

- 통신 언어 중 일부를 사전에 등재하는 일이 필요할까?
- 통신 언어가 문자언어지만 음성적 특징을 띠고 있는 예를 찾아보자.

제8장 언어의 습득

언어와 뇌
제1언어 습득
제2언어 습득

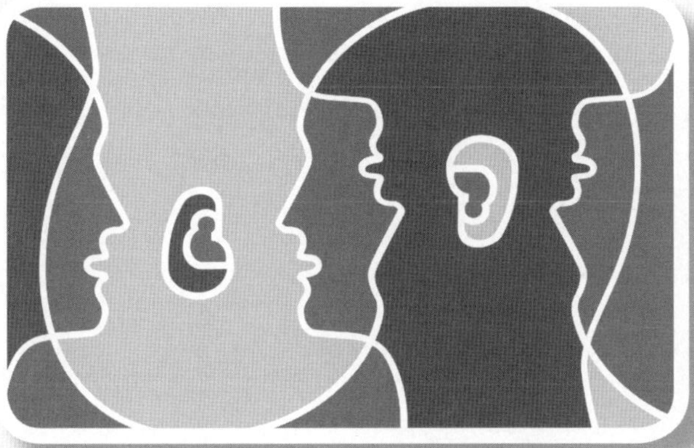

먼저 생각해 보기

- 모국어를 배우는 것과 외국어를 배우는 것의 차이에 대해 생각해 보자.
- 한때 교육관련 기사에서 중요하게 다루곤 했던 것이 바로 한국 사람들의 영어시험 성적이 세계적인 평균에 못 미친다는 내용이었다. 그 이유에 대해 생각해 보자. 왜 우리나라 사람은 영어를 못하는 것일까?

언어와 뇌

언어의 본질을 밝히고자 하는 인간의 노력은 단순히 추상적인 언어 자체만을 분석하는 데서 멈추지 않는다. 신경언어학적 접근을 통해 뇌의 어떤 부분이 언어에 관여하는지 밝혀내고, 심리언어학적 접근으로 모국어 습득과 제2 언어 습득에 대한 메커니즘을 연구하기도 한다.

좌반구, 우반구, 그리고 뇌량

뇌는 100억 개의 신경세포(뉴론, neuron)와 이들을 연결하는 수십억 개의 섬유세포로 이루어져 있다. 이는 좌반구와 우반구로 구성되어 있으며, 이 두 개의 반구는 뇌량(腦梁; bridge; corpus callosum)이라는 신경 다발로 연결되어 있다. 우반구는 신체의 왼쪽, 좌반구는 신체의 오른쪽의 감각과 운동을 관장한다.

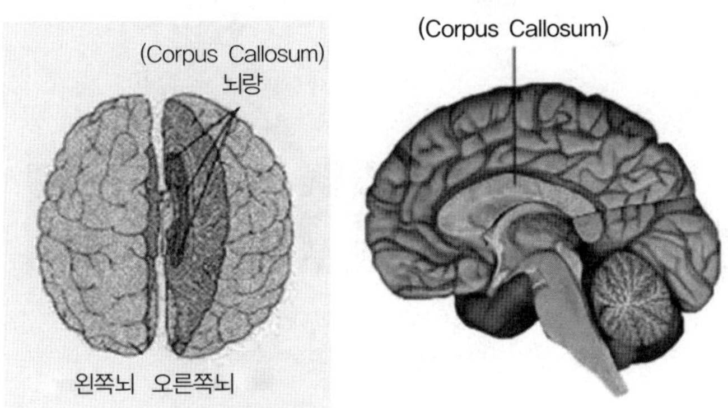

뇌와 뇌량 (http: //cafe.daum.net/JBclassresources)

일반적으로 왼쪽 뇌는 언어기능과 분석적이고 논리적인 기능을 담당하며 우반구는 형태의 인식, 공간적 사고, 직관적 사고를 담당한다. 언어 중추가 좌반구에 있다는 사실은 미국의 뇌 과학자 R. W. Sperry(스페리) 등의 다음과 같은 흥미로운 실험을 통해서도 확인이 되었다(Levy, et al., 1972 참조). 이 실험은 간질의 치료를 위해 뇌량 제거 수술을 받은 환자들을 대상으로 하였다.

뇌량이 없는 이들은 양쪽 뇌의 정보들이 서로 연결되지 않는다.

이 실험에서 피험자는 아래와 같이 왼쪽은 여성이고 오른쪽은 남성인 얼굴 그림을 보게 된다. 이 때 특수 장치를 통해 왼쪽 눈에는 그림의 왼쪽만 오른쪽 눈에는 그림의 오른쪽만 보이게 했다. 그리고 나서 피험자들에게 이 얼굴이 남성인지 여성인지 물었는데, 남성이라고 대답하였다. 정상인은 '오른쪽은 남성, 왼쪽은 여성'이라고 대답할 텐데 피험자들의 경우 좌뇌가 인식한 것만 언어로 표현된 것이다. 즉 좌뇌가 인식한 것은 같은 좌뇌에 있는 언어중추와 연결되어 언어로 표현되는데 우뇌가 인식한 것은 언어중추로 연결이 안 된 것이다.

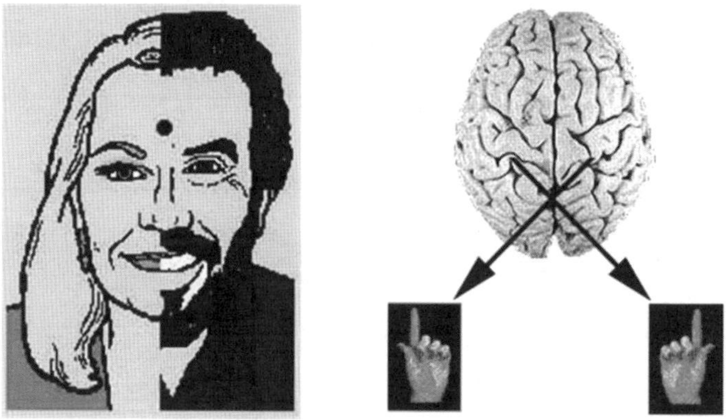

언어중추 실험과 뇌의 대칭
(https: //faculty.washington.edu/chudler/split.html)

언어중추와 실어증

언어중추는 뇌의 좌반구에 있음이 밝혀졌다. 오른손잡이의 경우 대부분 왼쪽 뇌에 언어중추가 있다. 다만 왼손잡이의 1/3 가량은 오른쪽 뇌에 언어중추가 있다. 이러한 언어중추에 대한 연구는 주로 뇌에 손상을 입은 실어증 환자에 대한 연구를 통해 이루어졌는데, 대표적인 초기 연구가 브로카(P. Broca)와 베르니케(C. Wernicke)의 실어증 연구이다. 1861년 브로카는 왼쪽 뇌의 앞부분에 손상을 입은 환자가 문법적 요소를 제대로 말하지 못하는 현상을 발견하였는데 연구자의 이름을 따서 이 현상을 '브로카 실어증'이라고 불렀다. 1873년 베르니케는 왼쪽 뇌의 뒷부분을 다친 환자가 말은 유창하게 하지만, 전체적으로는 어떤 뜻을 전달하지 못하는 문장을 만들어 낸다는 사실을 보고하였고, 이를 '베르니케 실어증'이라고 명명하였다.

이러한 실어증 연구를 통해 언어 능력은 좌반구의 한 영역이 아니라 좌반구 전체에 넓게 분포되어 있다는 사실이 밝혀졌다. 마찬가지로 두뇌의 내부에 있을 법한 머릿속 사전도 특정하게 한 군데에 자리하고 있는 것이 아니라 뇌의 좌반구의 여러 위치에 산재하고 있음을 알 수 있다.

뇌와 언어습득

언어가 뇌의 어느 부위와 연결되어 있는 지를 알아내기 위하여 자기 공명영상(MRI)을 사용한다. 특히 fMRI(functional MRI)는 언어를 처리할 때 활성화되는 뇌의 부위, 즉 언어처리와 관련된 뇌의 부위를 직접 보여 준다. 이와 관련하여 고려대 남기춘 교수 등은 매우 흥미 있는 연구를 하였다(Kim, et al., 2004 참조). 즉 이들은 성장 배경이 다른 두 명의 이중 언어 사용자에 대한 실험을 통해 모국어 습득과 외국어 습득의 두뇌 작용이 다르다는 것을 보여 주었다. 실험에 참여한 두 사람은 한국어와 영어를 모두 유창하게 사용하는데, 한 사람은 영어를 사용하는 나라에서 자라면서 영어를 모국어처럼 익힌 사람이고, 다른 사람은 한국에서 자란 뒤 영어를 배운 사람이다.

실험에 사용된 fMRI 영상을 통해 이 두 사람이 영어와 한국어를 사용할 때 활성화 되는 뇌의 부위를 살펴 볼 수 있다. 두 사람 모두 한국어를 말할 때는 언어중추가 있는 좌뇌가 활성화 되었다. 그러나 영어를 말할 때는 두 사람이 사용하는 뇌의 영역은 차이를 보였다. 한국에서 영어를 배운 사람은 언어중추가 있는 좌뇌의 활성화 부분이 넓었으며, 한국어를 말할 때 사용하지 않던 오른쪽 뇌의 영역도 사용하고 있었다. 반면에 영어를 모국어처럼 익힌 사람은 영어를 사용할 때, 한국어를 사용할 때와 마찬가지로 좌반구만 활성화되었다. 아래 그림에서 검게 보이는 뇌의 활성화 부분을 확인할 수 있다(강범모, 2010: 284 참조). 이러한 실험결과는 모국어와 외국어가 각기 다른 방식으로 습득되고, 뇌의 활성화 영역도 다르다는 것을 보여준다. 즉 영어를 외국어로 배운 사람이 영어를 할 때는 언어중추가 있는 좌뇌와 일반적인 학습과 관련된 우뇌가 함께 활동하고 있는 것이다.

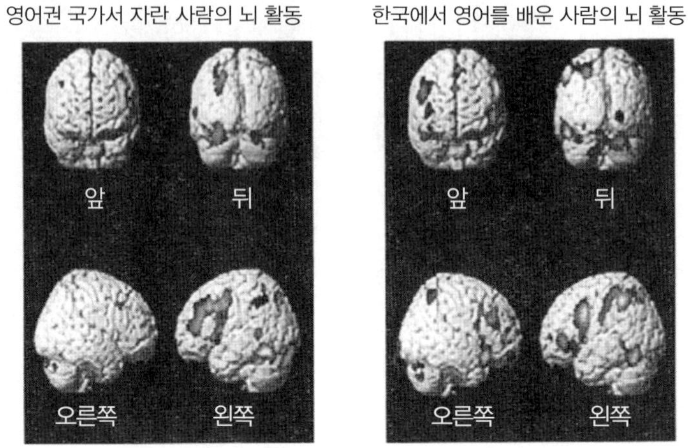

영어를 사용할 때의 뇌의 활성화 부위

제1언어 습득

어린이들은 일정한 순서에 의해 모국어를 습득한다. 태어나서 1세까지의 옹알이와 종알거리는 단계를 지나 한 단어로 의미 있는 의사를 표현하는 한 단어 단계와 두 낱말 문장을 발화하는 두 단어 단계를 거치면서, 모국어의 기본적인 어순과 음운체계를 습득한다. 그리고 만 4~5세에는 모국어 습득이 완성되는 단계에 도달한다. 이 시기에 대부분의 아동은 어른과 비슷한 완성된 문장을 만들어 내며, 모국어의 문법과 발음이 완전해진다. 이 이후에도 어린이들은 문법을 보다 복잡한 형태로 계속 확장시키고, 새로운 어휘를 매우 놀라운 속도로 추가한다. 어린이는 어떻게 2~3년이라는 짧은 시간에 제한적인 언어 경험을 가지고 그렇게 복잡한 언어체계를 배울 수 있을까? 이에 대해 두 가지 입장이 있다.

Skinner의 행동주의적 입장: 언어 습관설

행동주의(behaviorism)는 20세기 전반 미국의 심리학계, 교육학계를 풍미하던 학습이론으로 자극과 반응(stimulus/response), 모방과 반복(mimic/repetition), 행동의 습관화(habituation) 등이 중요한 개념이다. 대표적인 학자는 Skinner(스키너)이다. 행동주의는 동물에게 특정한 행동을 학습시킬 때, 예를 들면 돌고래를 훈련시킬 때, 적용하는 행동학습 방법인데 이를 인간에게도 그대로 적용할 수 있다는 것이 Skinner의 입장이다.

이에 따르면 인간은 백지상태(tabula rasa)에서 태어나며[29] 언어능력을 포함한 인간의 모든 지적 능력은 자극과 반응, 모방과 반복에 의한 습관 형성의 결과이다. 어린 아이가 어머니의 말을 모방/반복하고 이에 대한 보상(어머니의 반응)에 의해 언어발달이 촉진된다는 입장이다. "언어는 습관이다"가 언어습득에 대한 행동주의의 기본 명제이다. 그러나 모방과 반복이 언어습득의 중요한 요소이기는 하지만 절대적인 요소는 아니라는 것이 20세기 후반에 등장하는 이성주의자들의 주장이다.

Chomsky의 이성주의적 입장: 언어 생득설

20세기 전반 행동주의적 명제에 반대하고 1950년 대에 언어연구 및 인문학에 새로운 지평을 연 사람이 미국 메사추세츠 공과대학 언어학과 교수 Noam Chomsky(노엄 촘스키)이다. 그에 따르면 인간은 백지상태에서 태어난 것이 아니라 이성(ratio)을 가지고 태어나며 언어능력은 이 이성의 일부이다. 이것이 바로 Chomsky이후 지금까지 세계의 학계와 지성계를 지배하고 있는

29) 이들은 눈에 보이지 않는 '마음'이나 '이성'의 존재를 인정하지 않았다. 당시에는 눈에 보이지 않는 것을 인정하는 것은 비과학적이라고 생각했기 때문이다. 눈에 보이는 것만 인정하려는 입장을 실증주의(positivism)라고 한다.

이성주의(rationalism) 혹은 인지주의(cognitivism)이다.

인간이 언어능력을 가지고 태어난다는 것을 어떻게 증명할 수 있을까? 그것은 간단하다. 모든 인간은 언어를 배울 수 있고 인간 이외에 다른 동물은 언어를 배울 수 없는 것이 그 증거이다. 언어습득이 단순한 모방과 반복에 의한 것이라면 다른 동물도 인간의 언어를 배울 수 있어야 한다. 그러나 다른 동물은 인간의 언어를 배울 수 없다. 그 이유는 인간만이 언어능력을 타고나기 때문이다. 이것이 Chomsky의 언어 생득설(innate idea)이다.

언어능력은 인간에게 나면서부터 내재되어 있는 프로그램이다. Chomsky는 이를 언어습득장치(LAD : language acquisition device)라고 했다. 이 프로그램은 태어난 즉시 작동하는 것이 아니고 일정한 시기에 적절한 언어적 자극을 받아야 활성화된다. 새가 나는 것과 동물이 걷는 것은 일정한 시기가 되면 자동적으로 발현되는 기능이지만, 인간의 언어능력은 필요한 시기에 주변의 언어에 노출되어야 한다. 이 시기를 놓치면 문제가 생길 수 있다. 정글에서 늑대가 양육하던 아이가 발견된 일이 있는데 이 아이는 결국 인간의 언어를 제대로 배우지 못하고 죽었다. 또 부모에 의해 외부접촉이 단절되어 성장한 지니(Genie)의 이야기도 있다. 적절한 자극을 적절한 시기에 받지 못하면 언어습득이 제대로 이루어지지 않는다는 증거이다.

이러한 언어습득장치에 대한 흥미로운 유전자 연구가 있다. 2001년 영국 옥스퍼드 대학의 연구자들이 언어에 문제가 있는 한 집안 사람들의 유전자를 조사하였다. 이 사람들은 'FOXP2'라는 유전자의 715개 아미노산 가운데 한 개가 일반인과 다르다는 것이 확인되었다. 역시 2001년에 독일의 막스플랑크 연구소에서 침팬지와 인간의 'FOXP2' 유전자를 비교하였는데, 그 구성 아미노산 가운데 2개가 차이가 있음을 발견하였다. 연구자들은 이 작은 차이가 단백질의 모양을 변화시켜 인간의 얼굴과 음성기관의 움직임을 원활하게 통제하는 것으로 추정하였다.

타고난 언어능력에 대한 실험 한 가지

어린이가 복잡한 언어능력을 가지고 태어난다는 것을 보여주는 한 가지 실험이 있다(강범모, 2010). 이 실험에서 영어권 어린 아이들에게 먼저 다음과 같은 이야기를 들려주었다.

> 한 소년이 나무에 오르다가 다쳤다. 그 소년은 집에 돌아와 욕조에서 몸을 씻으면서 엄마에게 나무에 오르다가 다쳤다고 말했다.

그리고 나서 실험대상 아이들에게 (1)과 같은 질문을 했는데 예상대로 (2)와 같이 답이 두 가지로 나왔다.

(1) 질문: When did the boy say he hurt himself?
(2) 대답1: When he climbed the tree.
대답2: When he was in the bathtub.

(1)에서 의문사 *when*이 *say*에 걸릴 수도 있고 *hurt*에 걸릴 수도 있기 때문에 두 가지 대답이 가능한 것이다. 이러한 문법지식은 일부러 어린 아이들에게 설명하려고 하면 가르치기 어려울 것이다. 그러나 아이들은 배우지 않아도 이러한 언어구조를 직감적으로 알고 있는 것이다.

다음으로 실험대상 아이들에게 (3)과 같이 질문을 해 보았는데, 이번에도 대답은 역시 예상대로 (4)와 같이 한 가지로만 나왔다.

(3) 질문: When did the boy say how he hurt himself?
(4) 대답: When he was in the bathtub.

(3)에서는 *when*이 *say*에만 걸리고 *hurt*에는 걸릴 수가 없다. 그래서 대답이 한 가지로만 나오는 것이다. 영어문법(통사론)에서 이 현상을 설명하려면 매우 복잡하다. 종속절에 의문사가 있으면 주절의 의문사 *when*이 종속절에

간여하지 못하는 규칙이다[30]. 이 복잡한 문법사항을 어린 아이들에게 설명하는 것은 불가능할 것이다. 그러나 아이들은 직감적으로 이미 이 규칙을 알고 (4)와 같이 정확히 대답하는 것이다. 인간의 타고난 언어능력을 상정하지 않으면 도저히 설명할 수 없는 현상인 것이다.

제2언어 습득

마치 천재와도 같은 모국어 습득 능력과는 달리 제2언어 습득은 많은 시간과 노력에도 불구하고 그 성과가 사람마다 다르고, 대단히 성공적인 경우라고 하더라도 모국어만큼의 언어능력에 도달하기는 쉽지 않다. 모국어로서 제1언어 습득이후에 새로운 언어를 배우는 것이 제2언어 습득이다. 제2언어 습득이란 이주를 통해 새로운 곳에 살게 되었을 때 그곳의 언어를 배우는 것을 말하기도 하고, 일반적인 외국어 학습을 의미하기도 한다. 이 단원에서는 20세기 이후 외국어 교육을 위해 제안된 몇 가지 이론들과 논점에 대해 알아보기로 한다.

대조분석이론

대조분석이론(contrastive theory) 혹은 대조가설이란 모국어와 외국어 사이에 나타나는 차이점 및 공통점이 외국어 학습에 큰 영향을 미친다는 이론이다. 모국어와 외국어 사이에 차이가 나는 현상은 학습이 어렵고, 유사한 현상은 배우기가 쉽다는 것이다. 모국어와 유사한 외국어는 쉽게 배우고 반대로 모국어와 차이가 많은 외국어는 배우기에 어렵다는 뜻이다. 서양 사람들이 어려워하는 일본어를 한국 사람들이 쉽게 배우는 것이라든가, 반대로 유럽 사람들은 다른 유럽의 언어를 쉽게 배우는 사실을 바로 이 대조가설로 설명할 수 있을 것이다. 언어학자들은 따라서 모국어와 외국어의 현상을 면밀히 검토하고 이들 사이의 차이점과 유사점을 잘 정리함으로써 외국어 교육에서

30) 영어통사론에서는 이를 'wh–island constraint'라고 부른다.

학습의 난이도를 예측하고 이에 대처해야 한다. 두 언어 사이의 유사점과 차이점을 비교하는 것을 대조분석(contrastive analysis)이라고 한다.

대조가설은 20세기 전반에 유행한 행동주의 심리학의 영향으로 나타난 외국어 학습이론이다. 이에 따르면 학습이란 일종의 습관화로써 이전의 학습은 이후의 학습에 긍적적인 영향을 미칠 수도 있고 부정적인 영향을 미칠 수도 있다. 즉 이미 한쪽으로 습관화된 인간의 행동이 새로운 행동의 습관화에 영향을 미친다는 것이다. 이러한 이전학습의 영향을 전이(transfer)라고 부르며 부정적인 전이를 특별히 간섭현상(interference)이라고 한다.

대조가설은 동물에서와 마찬가지로 인간의 학습도 일종의 훈련에 의한 행동의 습관화로써 이전학습이 이후학습에 영향을 준다는 입장으로 행동주의 학습이론에 기반을 두고 있다. 20세기 후반 들어 Chomsky의 이성주의가 세력을 얻고 행동주의가 쇠퇴하면서 대조가설도 자연스럽게 언어학 및 외국어교육학의 관심 밖으로 밀려나게 되었다. 그러나 전체적으로 볼 때 대조가설은 아직도 외국어교육에 유효한 것으로 보인다. 이점은 외국어 학습 및 교육에 대한 우리의 경험이 말해 주고 있다. 즉 한국 사람이 일본어를 쉽게 배우는 것은 대조가설로 가장 설득력 있게 설명할 수 있다.

동일가설, 언어학습과 언어습득

동일가설은 시기적으로는 20세기 후반 행동주의에 반기를 들고 나온 Chomsky의 언어보편주의(universalism)와 맥을 같이 한다. 언어보편주의란 인간은 누구나 동일한 언어능력을 가지고 태어난다는 것이며 동일가설이란 외국어도 모국어 습득과 동일한 메카니즘으로 배울 수 있다는 입장이다. 이에 따르면 인간의 언어습득은 단순히 모방과 반복에 의한 습관화가 아니고 타고난 창조적 언어습득 능력의 결과이다. 모국어든 외국어든 바로 이 타고난 언어습득 능력에 의해 습득되기 때문에 이 두 가지 언어습득 사이에는 차이가 없다는 것이다. 이러한 입장에서는 '전이'나 '간섭' 같은 개념이 금기시되다시피 하였다.

외국어교육은 이제 인간의 창조적인 언어습득 능력이 효과적으로 발휘되도록 해야 한다. 예를 들면 어린이가 모국어를 배울 때처럼 외국어 학습에서도 학습자로 하여금 자신의 수준에 맞는 외국어의 자료를 접하게 하고 그 자료로부터 스스로 외국어 규칙을 찾아내고 이를 내재화하도록 하면 된다.

그러면 과연 모국어의 습득과 외국어의 습득이 동일한 것일까? 개인차는 있겠지만 우리는 보통 외국어로 말할 때 모국어로 말할 때와는 다른 심리적·인지적 과정을 밟는다는 것을 느낀다. 즉 모국어를 사용할 때는 문법체계에 대해 생각하지 않고 즉각적인 반응을 보이면서 대화가 진행된다. 그러나 외국어를 사용할 때는 머리 속에서 먼저 문법체계를 생각하고 잘못된 표현은 걸러내면서 대화를 한다. Krashen(크래션)은 이것이 언어습득(language acquisition)과 언어학습(language learning)의 차이에서 온 것이라고 보았다. 그에 따르면 모국어와 같이 자연스러운 환경에서 배우는 것이 '습득'이며 외국어교육과 같이 특별한 프로그램을 통해서 배우는 것이 '학습'이다. '습득된' 언어는 모국어와 같이 자동화되어 나오고, '학습된' 언어는 머리 속에서 거르는 작업을 거친 후 발화된다. 이 거르는 작업을 Krashen은 '거르기'(monitor)라고 불렀다. 외국어교육에서 배운 우리의 문법지식은 모니터 역할을 한 것이다.

외국어 학습의 이상적인 목표는 두말할 것 없이 모국어처럼 자동화된 언어능력이다. 그러면 어떻게 하면 이렇게 자동화된 외국어능력에 도달할 수 있을까? 정답은 '학습'하지 않고 '습득'하면 된다. 요즈음 우리나라에 조기 영어교육 열풍이 불고 있는데 이것이 영어를 '학습'하지 않고 '습득'하는 한 가지 방법이다. 아니면 어렸을 때 일찌감치 아이를 외국에 보내서 영어를 자연스럽게 배우게 하는 것이다. 문제는 비용이다. '습득'이 좋은 줄 모두 알고 있다. 그러나 이를 감당하기에는 개인적, 사회적 비용이 너무 많이 드는 것이다.

Krashen은 외국어교육 현장에서도 모국어와 같이 가르치면 된다고 주장한다. 아이들이 모국어를 배우는 식으로 하면 된다는 것이다. 아이들이 모국어를 어떻게 배우는가? 문법지식 같은 설명 없이 어린 아이들에게 단순히 언어자료(input)만 제공된다. 그러면 앞 단원에서 본 영어권 어린이들처럼 아이들이 알아서 문법규칙을 찾아간다. 적당한 언어자료만 주면 외국어를 '습득'하게 된다는 이론을 입력이론(input theory)이라고 한다.

Krashen의 주장은 얼핏 보면 이론적으로 맞는 것처럼 보인다. 그러나 과연 이것이 외국어교육을 위한 이론으로 설득력이 있는지는 의문이다. 어린 아이에게 특별히 조기 영어교육을 시키거나 조기유학을 보낸 경우를 제외하면, 일반적인 외국어교육 현장에서 입력이론을 적용하는 것은 불가능하기 때문이다. 한편 Krashen은 '학습'과 '습득'을 구분하면서 거르기(monitor)를 '학습'의 특징이라고 했는데, 사실은 이 거르기를 금기시 할 필요는 없다. 외국어를 꼭 모국어처럼 유창하게 해야 되는 것은 아니기 때문이다. 국제무대에서 유창한 영어로 활동하고 있는 사람들의 영어도 대부분 '학습'된 영어이지 '습득'된 영어가 아니다. 국내의 외국 어문계열 전공자들의 외국어도 대부분 '학습'된 것이지 '습득'된 것이 아니다.

중간언어 이론

동일가설이 이상적이고 극단적인 이성주의의 입장이라면 중간언어 이론은 일반적인 외국어 교육의 관점에서 이성주의의 입장을 수용한 것이라고 볼 수 있다. 중간언어란 목표언어를 향한 중간단계의 언어라는 뜻이며 이를 학습자 언어(learner language)라고도 한다. 제2언어 학습자는 목표언어에 도달할 때까지 여러 단계의 중간언어 상태를 거친다. 상당히 높은 수준의 외국어 사용자라 하더라도 목표언어의 정확한 언어체계에 접근하는 과정에서 근사체계로서 중간언어 단계에 있다고 볼 수 있다. 많은 학습자들은 적절한 중간언어의 단계에서 그 이상의 진보를 멈추고 특정한 중간언어 체계를 계속 유지한다.

중간언어 혹은 학습자 언어는 비록 불안정하고 끊임없이 변화하는 체계이기는 하지만 나름대로 역동적이고 창조적인 체계이다. 이 이론에서는 학습자 언어의 독자성을 인정하며 이에 따라 학습자의 오류에 대한 인식에 큰 변화가 생겼다. 외국어를 배우면서 우리는 수없이 많은 실수를 하고, 이러한 오류에 대해 학습자와 교수자는 부정적인 인식을 갖는 것이 일반적이었다.

그러나 배우는 과정에서 실수와 오류는 피할 수 없다는 보편적인 사실을 고려한다면, 이것을 꼭 부정적으로만 볼 필요는 없을 것이다. 중간언어 이론은 외국어 학습에서 나타나는 오류를 긍정적으로 받아들이고 그 자체를 목표언어를 향한 하나의 현상으로 본다.

중간언어 이론은 학습자 언어의 체계성과 창조성을 인정하되 전이나 간섭현상도 배제하지 않는다. 체계성과 창조성은 Chomsky의 이성주의적 개념이며 전이와 간섭은 Skinner의 행동주의적 개념이다. 이에 따라 학습자 언어의 특징에 대해 많은 연구가 수행되었으며 이후 다양한 외국어 교수 방법들이 제안되기도 했다.

언어습득과 나이

제2언어 습득에 영향을 미치는 중요한 요소로서 나이를 들 수 있다. 많은 학자들이 언어습득에 결정적 시기(critical period)가 있다고 주장한다. 이에 따르면 언어습득을 위한 최적의 시기는 13세까지라고 한다. 이에 대해 두 가지 설명이 있다. 먼저 발달생리학적 설명이다. 즉 인간은 출생 후 13세까지는 신경근육조직이 매우 유연한 반면, 사춘기가 지나면서 대뇌의 신경세포가 굳어지고 좌우 뇌의 기능 분장이 완성됨으로써 언어적 유연성은 떨어지고, 언어습득 능력도 점차 경화되어 간다는 것이다.

결정적 시기에 대한 두 번째 설명은 사회심리학적 설명이다. 사춘기 이전의 아이들은 누구하고나 잘 어울리면서 자신의 사소한 실수에 대해 예민하지 않기 때문에 자연스럽게 언어습득에 좋은 환경을 조성하고 또 거기에 적응한다. 반면 사춘기가 지난 아이들은 자의식이 생기면서 자신의 작은 실수에도 예민해지고 다른 사람들과 쉽게 어울리지 않음으로써 자연스러운 언어습득 환경으로부터 스스로 멀어진다. 외국어는 어린 아이들처럼 틀린 줄도 모르고 재잘거리면서 배우는 것이 좋은데 사춘기가 지나면 이러한 행동이 정서적으로 불가능하기 때문에 외국어 습득이 어려워진다는 것이다.

그러나 우리는 외국어학습에서 이 '결정적 시기'를 지나치게 의식할 필요는 없다. 이 시기가 지났다고 해서 외국어학습에 치명적인 것이 아니며 외국어학습에는 다른 요인도 많이 작용하기 때문이다. 미국 스탠포드 대학 겐지 하쿠다(Genzi Hakuda) 교수는 미국 이민자의 이민 시기별 영어능력을 조사했는데, '결정적 시기' 가설을 뒷받침할 만한 근거는 찾지 못했다(Bialystok & Hakuda, 1999). 캐나다 맥길 대학 프레드 기니시(Fred Gisini) 교수의 조사에 따르면 어른이 된 뒤 이민 온 사람의 1/3은 어려서 이민 온 사람 또는 미국 본토인과 같은 수준의 영어를 구사했다(Genesse, 1978). 뉴욕 시립대학 지셀라 시아(Gisela Sia) 교수는 이민 온 어린이가 어른보다 영어를 잘 하는 것은 어린이의 경우 학교에서 영어를 쓸 수밖에 없는 상황에 노출되는 반면 어른은 가정에서 모국어를 계속 쓰는 시간이 많기 때문일 것이라고 추정했다(Jia & Aaronson, 1999).

우수한 외국어 학습자의 특징

외국어를 잘 습득할 수 있는 방법은 무엇일까? 외국어를 잘 하는 사람들의 특성은 무엇일까? 이 질문에 답을 하기 위한 시도가 제2언어 습득 분야에서 많이 이루어져왔다. 외국어 학습자의 학습책략에 대해 이 분야의 연구가 알아낸 다섯 가지는 다음과 같다. 첫째, 외국어를 배울 때 다른 것을 배울 때와 마찬가지로 자신이 가지고 있는 모든 능력을 다 동원한다. 둘째, 외국어 학습을 위해 사용하는 학습책략의 수가 대단히 많다. 셋째, 외국어학습에 어떤 책략을 사용하는 가는 학습자의 나이, 성, 환경, 교사, 제도, 학습시기 등에 따라 달라진다. 넷째, 외국어 학습자는 모두가 동일한 학습책략을 사용하는 것이 아니라 개인마다 특이한 학습책략들을 사용한다. 마지막으로 교사의 적절한 지도나 교육으로 각 개인의 학습책략은 나쁜 쪽에서 좋은 쪽으로 바뀔 수 있다.

H. D. Brown(브라운, 1994)은 제2언어 학습절차나 학습양식에 관한 개인적인 지식을 근거로 해서 좋은 언어학습을 위한 10계명을 교사용과 학습자용으로 나누어 제시하였다. 좋은 학습책략은 타고 난 것이 아니라 후천적으

로 학습된 것이므로, 이러한 학습책략 역시 교육의 대상이 될 수 있다. 제2언어를 습득하기 위해 도전하는 학습자들은 매우 많지만, 많은 경우 한계점에서 중도 포기하고 만다. 이것은 단순히 개인의 의지의 문제만은 아니며, 외국어학습에 대한 관리전략, 효율적 학습을 위한 인지전략, 그리고 외국어학습에서 심리적 준비를 도울 수 있는 전략들을 잘 모르는 데서 올 수 있다. 우수한 외국어 학습자들은 학습에 의해서든 습득에 의해서든 효율적으로 자신의 외국어 학습상황을 파악하고, 조절하고, 평가하며, 끝없이 도전한다.

Brown의 좋은 언어학습을 위한 10계명

교사용

- 억제의 수준을 낮추어라.
- 모험심을 장려하라.
- 자신감을 쌓아주라.
- 내재적 학습동기를 유발시켜라.
- 협조적 학습에 참여하라.
- 우반구적 절차를 활용하라.
- 애매성에 대한 인내심을 길러주어라.
- 직관력을 훈련시켜라.
- 오류의 회귀적 기능을 활용하라.
- 개인적인 목표를 세우게 하라.

학습자용

- 두려워하지 마라.
- 뛰어들어라.
- 네 자신을 믿어라.
- 하루하루를 붙잡아라.
- 당신의 이웃을 사랑하라.
- 큰 그림을 그려라.
- 혼돈에 맞서라
- 직감을 따르라.
- 오류가 도움이 되게 하라.
- 자신의 목표를 세워라.

토론해 보기

- 뇌의 언어중추를 좌반구와 우반구의 기능과 함께 설명해 보자.
- 제1언어 습득에서 두 가지 입장은 무엇인가?
- 제2언어 습득에서 대조분석과 중간언어이론을 이야기 해 보자.
- 각자 자신의 외국어 학습의 성공에 필요한 요소가 무엇인지 토론해 보자.

쉬어가기

유럽의 언어통합 노력과 유럽공통 언어기준

유럽연합은 정치·경제·사회·문화의 통합을 위한 마스트리히트 조약(Treaties of Maastricht)을 체결하였고 언어·문화적 다양성을 촉진하기 위해 다중언어주의와 다중문화주의를 표방한다. 상호 이해와 의사소통 능력을 향상시켜 외국인에 대한 적대감을 없애기 위해 필요와 능력에 따라 외국어 의사소통 능력을 증진하는 것이 외국어 교육의 중요한 의미이며 외국어와 문화의 동시 학습을 강조한다. 경제공동체에서 정치공동체로 거듭나고 있는 유럽연합은 각 회원국에게 사회통합정책의 새로운 모델로서 언어통합을 제시하고 유럽평의회(Council of Europe)를 중심으로 언어정책에 변화를 시도하고 있다.

유럽평의회의 유럽공통 언어기준(CEFR: Common European Framework of Reference for Languages)은 유럽뿐만 아니라 국제적으로 유럽언어 학습과 교육, 평가의 지표로 활용되며 언어통합 정책에서 핵심적 역할을 하고 있다. 유럽공통기준의 특징은 1) 다중언어주의/다중문화주의, 2) 외국어 평생교육, 3) 모국어 및 2개 외국어 학습이다. CEFR에서 제시한 외국어능력은 총 6단계로 단계별 수준은 다음과 같다.

■ 단계 A (Basic Speaker)

• A1(Breakthrough): 일상생활에서 자주 사용되는 간단한 언어적 표현을 이해하고, 구사할 수 있다. 자신이나 타인을 소개하고, 그에 관한 기초적인 질문 및 대답을 할 수 있다.

• A2(Waystage): 자주 사용되는 직접적으로 연계되는 언어적 표현을 이해하고 구사할 수 있다. 사람, 직장, 주변환경 등과 관련되는 사항을 묘사할 수 있다.

■ 단계 B (Independent Speaker)

• B1(Threshold): 명확한 표준어에 대한 요점을 이해할 수 있다. 해당 언어 사용지역에서 발생할 수 있는 상황을 간단한 언어를 사용해 극복할 수 있다. 주제에 관련된 내용을 간단히 표현할 수 있고, 희망, 목적, 의도 등을 기술할 수 있다.

• B2(Vantage): 세부적이고, 추상적인 상당히 복잡한 글을 이해하고, 일부 분야에 대해서 전문적인 토론이 가능하다. 대화에서 큰 불편없이 즉흥적이고 유연한 의사소통이 가능하다. 주어진 주제에 관해 명확히 기술할 수 있고, 현실적인 질문과 대답, 장단점을 제시할 수 있다.

■ 단계 C (Proficient Speaker)

• C1(Effective Operational Proficiency): 광범위한 분야의 긴 문장과 의미를 이해할 수 있다. 대화에서 즉흥적으로 유창한 의사소통이 가능하다. 직업적, 사회적 환경 또는 학습에서 해당 언어를 효과적이고 유창하게 사용할 수 있다. 명확하고 체계적으로 복잡한 상황을 표현하고, 적합하고 다양한 문장연결표현을 사용한다.

• C2(Mastery): 실질적인 모든 읽기, 듣기에서 어려움 없이 이해할 수 있다. 다양한 문어적, 구어적 정보를 요약하고, 근거를 제시하며 설명할 수 있다. 복잡한 상황에서 즉흥적으로 매우 유창하고 정확하게 표현할 수 있다. 언어의 다양한 표현에서 세부적인 의미의 미묘한 차이를 분명히 구분할 수 있다.

제9장 언어의 변화: 문법화

먼저 생각해 보기

- 다음 밑줄 친 말들은 맞는 표현일까, 틀린 표현일까?
  - (a) **훨** 낫다.
  - (b) **완전** 멋지다.
  - (c) **너무** 예쁘다.
- 다음 문장에서 '보고'와 '진짜'는 같은 말일까, 다른 말일까?
  - (a) 철수가 나를 **보고** 반가워했다.
  - (b) 철수가 나**보고** 오라고 했다.
  - (c) 이것은 **진짜**이다.
  - (d) 와, **진짜** 예쁘다.

언어는 변화한다[31)]

언어는 고정된 체계가 아니고 끊임없이 변화한다. 아래 (1)은 용비어천가 제2장 앞부분이고 (2)는 이를 현대 국어로 번역한 것이다. 용비어천가는 1450년 무렵의 문장인데 500여 년이 흐르면서 우리말이 많이 변화한 것을 알 수 있다.

(1) 불휘 기픈 남간 바라매 아니 뮐쌔,
곶 됴코 여름 하나니.

새미 기픈 므른 가마래 아니 그츨쌔,
내히 이러 바라래 가나니.

(2) 뿌리가 깊은 나무는 바람에도 흔들리지 아니하므로,
꽃이 좋고 열매도 많으니.

샘이 깊은 물은 가뭄에도 그치지 않고 솟아나므로,
내가 되어서 바다에 이르니.

언어는 지금도 변하고 있다. 요즘 젊은 층에서 쓰는 말들 가운데 다음 (3)과 같은 표현들이 좋은 예이다. 아직은 이 표현들이 표준어는 아니다. 그러나 언젠가 시간이 가면 표준어로 인정될 수도 있다. 이 가운데 '너무 예쁘다' 같은 표현은 상당히 보편화되어서 많은 사람들이 잘못된 표현이라는 것을 인식하지 못하고 사용하는 듯하다.[32)]

(3) a. **훨** 크다.

---

31) 문법화에 대한 자세한 것은 이성하(1988) 참조.

32) '너무'는 원래 '지나치게'라는 뜻으로 부정적인 말인데 젊은 층에서는 '아주'라는 뜻으로 사용된다.

b. 완전 예쁘다.

c. 너무 예쁘다.

언어기호는 의미와 형태의 복합체이다. 즉 형태와 의미가 결합해서 하나의 언어 단위를 이루고 이 언어단위가 문장 가운데 들어가면 일정한 기능을 담당하게 된다. 예를 들면 '빨리'라는 말의 형태는 5개의 소리로 구성되어 있으며 'fast'라는 의미를 갖는다. 그리고 이 말은 문장 가운데서 동사를 수식하는 기능을 갖는다.

(4) '빨리'의 형태, 의미, 기능

– 형태: ㅃ + ㅏ + ㄹ + ㄹ + ㅣ

– 의미: 'fast'

– 기능: 동사 수식

언어는 이 세 가지 측면에서 모두 변화가 가능하며 이를 형태적 변화, 의미적 변화, 기능적 변화라고 부를 수 있다. (1)과 (2)를 비교해 보면 형태적 변화와 의미적 변화는 쉽게 찾을 수 있다. (3)의 예에서 '훨, 완전'은 형태가 변한 것이고 '너무'는 의미가 변한 것이다.

기능적 변화의 예는 (1)의 '–ㄹ 쌔'에서 볼 수 있다. 즉 이 표현은 현대 국어에서 잘 쓰이지 않으며 대신 '–므로'가 쓰인다. 현대 국어에서도 기능적 변화는 쉽게 찾아 볼 수 있다. 예를 들면 (5a)에서 '참'은 명사로서 목적어의 역할을 하는데 (5b)에서는 부사로서 형용사를 수식하고 있다.

(5) a. **참**과 거짓을 분간할 줄 알아야 한다.

b. 꽃이 **참** 예쁘다.

문법화란 무엇인가?

이 단원에서는 언어의 변화 가운데 문법의 변화에 대해서 소개하고자 한다. 언어는 크게 어휘소(lexical elements)와 문법소(grammatical elements)로 구성된다. 한 언어의 문법이란 이 언어의 문법소들의 체계라고 할 수 있다. 언어의 기본 기능은 정보의 전달인데 어휘소는 어휘적인 정보를 전달하고 문법소는 문법적인 정보를 전달한다. 다음 예문 (6)에서 어휘소와 문법소를 나누어 보면 (7)과 같다. 이 문법소들은 각각 '주어, 목적어, 현재, 서술문'이라는 정보를 가지고 있다.

(6) 철수가 책을 읽는다.

(7) a. 어휘소: 철수, 책, 읽,

b. 문법소 및 문법적 정보

문법소	문법적 정보
–가	앞의 명사가 주어이다
–을	앞의 명사가 목적어이다
–는	관련 문장이 현재시제이다
–다	의문문이나 명령문이 아니고 서술문이다.

우리는 앞에서 언어의 기본단위는 문장이고 문장을 구성하는 기본요소는 명사와 술어(동사/형용사)라고 했는데 이 명사와 동사/형용사가 바로 어휘소이다. 이를 내용어(contents words) 혹은 실사라고 부르기도 한다. 문장에서 다른 요소는 이 어휘소들을 보조해서 문장을 정교하게 다듬는 구실을 하는데 이것이 문법소이며 이를 기능어(functional words) 혹은 허사라고 부르기도 한다.[33] 전치사, 조사, 접속사, 조동사, 대명사, 지시사, 어미 등이 여기에 해당

33) 어휘소는 우리 머리 속에서 무엇인가가 그려지는데 문법소는 그렇지 않다. 예를

한다. 이 가운데 어미가 문법소의 성격이 가장 강하며, 부사는 어휘소와 문법소의 중간쯤에 위치한다. 어휘소와 문법소는 정도의 문제라고 볼 수 있으며 이를 도표로 정리하면 (8)과 같다.

(8) 언어범주와 어휘성 및 문법성의 정도

명사/동사/형용사 > 부사 > 전치사/조사/접속사/조동사/대명사 > 어미

어휘성 ⟵⟶ 문법성

(8)에서 문법소인 전치사, 조사, 접속사, 조동사, 대명사, 지시사, 어미는 실질적인 내용(contents)을 담고 있지 않으며 문법적인 기능(function)만을 가지고 있는 것이다. 부사는 이들 보다는 많은 내용을 담고는 있지만 기능성이 강하게 나타난다. 예를 들면 (5b)에서 '참'은 '예쁘다'의 정도를 표현한 것이며 실질적인 내용을 담고 있는 것은 아니다. 같은 부사라도 '빨리, 천천히' 같은 말은 '참'보다 어휘성이 강하다. 어떤 내용을 담고 있다는 뜻이다.

오늘날 문법적인 기능을 담당하는 많은 문법소들이 내용어인 어휘소에서 유래한 것으로 알려져 있는데 이 어휘소로부터 문법소로의 변화과정을 문법화(grammaticalization)라 부른다. 한국어에서 몇 가지 예를 들어보면 (9)와 같다.

(9) 한국어 문법화의 예

a. 철수가 나보고 오라고 한다. (동사 → 조사)

b. 철수는 나하고 놀았다. (동사 → 조사)

c. 방 안에 철수밖에 없다. (명사 + 조사 → 조사)

d. 칼 가지고 장난하지 말하라. (동사 → 조사; 진행중)

들면 '책, 연필, 자다, 걷다, 예쁘다, 빨갛다' 같은 명사, 동사, 형용사를 생각하면 머리 속에 무엇이 그려지는데 '–은/–는, –이/–가, –에게, –를' 같은 조사나 '이, 그, 저' 같은 지시사, 혹은 '그러나, 그리고, 그러면' 같은 접속어는 그렇지 않다.

(9)에서 '–보고'는 '보다'라는 동사가 조사로 변한 것이며 '하고' 역시 동사에서 온 것이다. '–밖에'는 명사 '밖'과 조사 '–에'가 결합해서 별도의 조사로 발전한 것이다. '가지고'는 현대 국어에서 아직 조사로 인정하지는 않지만 기능적으로 보면 영어의 *with*에 해당하고 국어문법으로 보면 조사에 가깝다. 명사와 동사는 대표적인 어휘소이고 조사는 대표적인 문법소인데 어휘소에서 문법소로 바뀌는 과정이 문법화이다. 몇 가지 국어의 예를 더 보면 (10)과 같다.

(10) 한국어 문법화의 다른 예

갈다 > 같이 (형용사 → 조사)
넘다 > 너무 (동사 → 부사)
붙다 > 부터 (동사 → 조사)
제법 > 제법 (명사 → 부사)
만큼 > 만큼 (명사 → 조사)

영어에서도 이러한 문법화의 예를 쉽게 찾아 볼 수 있다. 먼저 (11)의 영어 접속사 *that*은 (12)와 같이 지시대명사에서 발전한 것이다. 즉 여기서 *that*은 원래 지시대명사였고 나중에 접속사로 발전하였다.

(11) I think that John is honest.
(나는 존이 정직하다고 생각한다.)

(12) I think that; John is honest.
(나는 그걸 생각한다; 즉 존이 정직하다는 것.)

영어의 관계대명사들도 이와 비슷한 환경에서 변화한 것이다. 예를 들면 (13)의 관계대명사 구문은 (14)과 같은 의문사 구문에서 발전하였다.

(13) I met the man who invited you last Sunday.

(나는 지난 일요일 너를 초대한 사람을 만났다.)

(14) I met the man; who? (he) invited you last Sunday.

(나는 그 사람을 만났다. 누구냐면, 지난 일요일 너를 초대한)

(11)–(14)의 변화를 다음 (15)와 같이 정리할 수 있는데 여기서 한 가지 의문이 생긴다. 위 도표 (8)에서 지시사, 대명사, 접속사가 모두 문법소라고 했는데 (15)와 같이 문법소가 다른 문법소로 변화하는 것도 문법화라고 할 수 있는가 하는 문제이다. 대답은 '이들도 문법화로 본다'이다. 그 이유는 접속사와 관계대명사가 지시사나 의문대명사보다 기능성/문법성이 강하기 때문이다. 즉 전자는 구체적인 의미가 전혀 없이 문법적인 기능만 갖는 반면 후자는 '지시, 의문'이라는 의미가 남아 있기 때문이다.

(15) a. *that* : 지시대명사 > 접속사

b. *who* : 의문대명사 > 관계대명사

문법소들 사이의 기능성/문법성의 정도를 비교하면 (16)과 같이 나타낼 수 있다. 즉 (16)에서 오른쪽으로 갈수록 더 기능적이며, 실질적인 의미는 약해진다. 문법화는 항상 왼쪽에서 오른쪽으로 진행되며 반대 방향으로는 진행되지 않는다.

(16) 문법소들 사이의 기능성/문법성의 정도

조동사 > 대명사, 지시사 > 전치사, 조사, 접속사 > 어미

어휘성 ←——————————————→ 문법성

영어의 문법화 예를 더 보면 다음 (17)–(19)와 같다. 접속사 *while*은 명사에서 발달한 것이며, 접속사 *when*은 의문사에서 발달한 것이다.

(17) *while* (명사 > 접속사)

a. for a while (명사)

b. While Mary was sleeping, John watched TV. (접속사)

(18) *when* (의문사 > 접속사)

a. When did you meet Mary? (의문사)

b. When he arrived in Seoul, it was raining. (접속사)

(19) 영어 문법화의 다른 예

off > of	(부사 > 전치사)
in + stead + of > instead of	(전치사 + 명사 + 전치사 > 전치사)
according + to > according to	(동사 + 전치사 > 전치사)
by + fore > before	(전치사 + 명사 > 전치사)
by + side > beside	(전치사 + 명사 > 전치사)
by + cause > because	(전치사 + 명사 > 접속사)

문법화의 양상과 방향

문법화는 언어변화의 일종인데 모든 언어변화가 문법화로 연결되는 것은 아니며 어휘적 요소가 문법적 요소로 변화하는 경우를 문법화라고 부른다. 위의 용비어천가와 현대 국어를 비교할 때 (20)과 같은 변화는 문법화가 아니다.

(20) a. 의미의 변화

여름: '열매' > 계절의 이름

이르다: '되다' > '도달하다'

b. 형태의 변화

곶 > 꽃

됴코 > 좋고

불휘 > 뿌리가

남간 > 나무는

위에서 언어의 변화에는 형태적 변화, 의미적 변화, 기능적 변화가 있다고 했는데 문법화에서는 기본적으로 기능적 변화가 일어난다. 즉 우선적으로 해당 표현의 문법적 기능이 바뀐다. 위 (9)–(10)의 예에서 보는 것처럼 품사가 바뀌는 일이 많으며, 같은 품사 안에서 문법적 기능이 달라지는 경우도 있고, 단어가 어미로 변하는 경우도 있다. 기능적 변화의 방향은 위 (8), (16)에서 보는 바와 같이 어휘성이 떨어지고 문법성이 증가하는 쪽으로 진행된다.

(21)은 한국어에서 명사가 문법소로 변하는 예이다. (21a–d)이는 명사가 접속어로 변한 예이고 (21e–f)는 명사가 부사로 변한 예이다.

(21) a. 그 때는 사람이 없었지.

b. 내가 도착 했을 때, 비가 많이 왔다.

c. 뒤에 뭐가 묻었네.

d. 영아가 도착한 뒤, 곧 비가 왔다.

e. 이 문건은 진짜이다. / 진짜 멋지네.

f. 그것은 사실이다. / 사실 난 생각보다 행복해.

같은 품사 안에서 문법적 기능이 달라지는 예는 '본동사 > 조동사'의 변화에서 볼 수 있다. 예를 들면 영어의 *have* 동사는 원래 본동사로 쓰이다가 완료형에서는 조동사로 쓰인다((22) 참조).[34] 즉 *have*가 '가지고 있다'라는 본래의 의미를 잃고 문법적인 기능만 담당하고 있는 것이다. 한국어에서 '본동사 > 조동사'의 변화의 예는 (23)–(25)과 같다. 즉 '보다, 버리다, 두다' 등의 동사가 본래의 의미에서 벗어나 조동사로 쓰일 수 있다.[35]

(22) 영어의 'have' 동사의 변화

a. I **have** a sister. (본동사)

b. I **have** bought a book. (조동사)

(23) a. 나는 어제 영화를 **보았다.** (본동사)

b. 나는 어제 크로아티아 음식을 먹어 **보았다.** (조동사)

(24) a. 영희는 화장지를 쓰레기 통에 **버렸다.** (본동사)

b. 영희는 언니의 피자를 먹어 **버렸다.** (조동사)

(25) a. 영희는 화장지를 책상 위에 **두었다.** (본동사)

b. 영희는 아침을 든든히 먹어 **두었다.** (조동사)

문법화에서는 기능적 변화와 동시에 의미변화도 함께 나타난다. 의미변화의 방향은 내용어가 가지고 있던 의미가 점점 약화되는 쪽으로 진행되는데 이를 탈색(bleaching)이라 부른다. 원래의 구체적인 의미가 약해지고 추상화된다는 뜻이다. 예를 들면 (9)에서 원래의 명사와 동사의 의미가 문법화 과

34) 조동사란 원래 본동사로 쓰이던 말들이 본래의 의미를 잃고 다른 동사와 결합해서 보조적인 의미를 나타내는 경우를 말한다. 영어의 *can, must, may* 같은 동사들이 대표적인 조동사이며 그밖에 영어에서는 완료구문의 *have*나 *ought to, used to, had better* 같은 표현들을 조동사로 볼 수 있다.

35) 조동사는 영어로 'auxiliary'라고 하는데 국어 문법에서는 조동사라는 용어 대신 보조용언이라는 말을 쓴다. 국어에서 용언이란 동사와 형용사를 아우른 말이다.

정에서 탈색되었음을 볼 수 있다. 의미의 변화는 한편 원래의 의미가 탈색되는 대신 문법적/기능적인 의미가 추가된 것으로 볼 수 있다. 예를 들면 (9)의 문법화 과정에서 원래의 의미는 탈색했지만 한편으로는 문법적인 의미가 추가된 것이다.[36]

의미변화의 과정이 모든 문법화에서 동일하지는 않지만 초기에는 보통 본래의 의미와 병행해서 또 다른 의미가 추가되는 의미확장의 단계가 있다. 하나의 표현에 의미가 추가되기 때문에 다의어 단계라고 할 수 있다. 그 다음으로 본래의 의미가 탈색되면서 두 가지 표현이 별개의 단어로 인식되는 단계가 되는데, 이는 동음이의어 단계라고 할 수 있다. (21)의 경우 다의어 단계라 하겠고, (9a–c)는 동음이의어 단계라고 할 수 있다. 예를 들면 (9a)의 조사 '보고'는 현대 국어에서 동사 '보다'와 별개의 단어로 간주된다. 이어서 원래 같은 어원에서 출발했던 두 개의 요소가 형태까지 변화하면서 독립된 요소로 굳어지는 단계가 나타난다. 예를 들면 (10)에서 동사 '붙다'와 조사 '부터'는 어원이 같은데 현대 국어에서 이들은 완전히 별개의 어휘로 간주된다. '넘다 > 너무'의 변화도 마찬가지이다. 이와 같은 변화의 단계를 우리는 (26)와 같이 도식화 할 수 있다.

(26) 의미 및 형태 변화의 단계

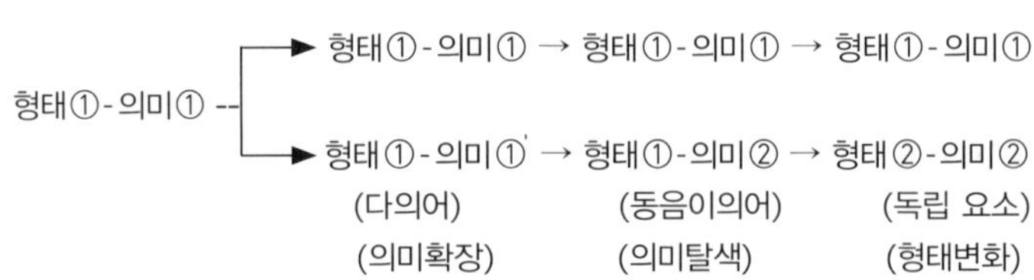

문법화 과정에서 의미는 구체적인 공간이나 장소 개념에서 출발해서 시간적인 개념으로 확장되고 다시 인과관계나 이유, 원인 등을 나타내는 추상

36) 이를 잃고–얻기(loss and gain)라고 부른다.

적인 개념으로 확장된다. 문법화가 많은 경우 '장소/처소' 개념에서 출발했다는 뜻이며, 이를 처소주의(localism)라고 부른다. 독일의 언어학자 Heine 교수는 이러한 의미변화의 경향을 (27)과 같이 도식화하였다. 이에 따르면 인간 언어의 많은 개념들이 사람의 신체를 나타내는 표현에서 출발해서 그 의미가 주위의 사물에 전이되고 이어 행위(process)와 공간, 시간적 개념으로 발전하고, 마지막으로 추상적이고 질적인 의미로 나아간다는 것이다.

(27) Person > Object > Process > Space > Time > Quality
(사람 > 사물 > 행위 > 공간 > 시간 > 질)

어떤 언어에서는 신체부위를 나타내는 '배'라는 말이 '앞'이라는 뜻으로 발전하고 이는 다시 시간적, 공간적 개념으로 확장된다((28) 참조).

(28) 사람의 '배' > 사물의 앞부분 > 공간적 '앞' > 시간적 '앞' > 질적 '우월'

문법화 과정에서 형태변화는 원래의 형태가 축소되고 마지막 단계에서는 소멸되는 경향을 보이는데 형태변화는 일어나지 않을 수도 있다. 한국어 문법화의 예에서 형태의 변화가 일어나지 않는 경우는 (23)–(25)에서와 같이 쉽게 찾아 볼 수 있다.

형태변화가 일어나는 경우도 물론 많다. (29)의 '간다며'는 (30)과 같이 많은 형태적 변화를 거쳐 생긴 것이다. (29)의 '–며'는 결국 '말하며'라는 단어가 형태변화를 일으켜 어미가 된 것이며 이 어미 속에는 '말하다'라는 의미가 포함되어 있다. (31c)의 '갈거야'는 '갈 것이야'가 줄어든 형태이다. 현대 국어 맞춤법에서는 아직 이것을 '갈 거야'처럼 띄어 써야 한다. 그러나 한국 사람은 보통 붙여 쓰고 있어서 머지않아 이것이 표준 맞춤법이 될 것으로 보인다. 이렇게 되면 결국 '것이야'라는 독립된 단어가 '–거야'라는 어미가 된 것인데, 이 단계는 아직 진행 중이라고 볼 수 있다. 즉 문법화가 진행 중인 것이다.

(29) 이번 여름에 유럽여행 **간다며.**

(30) a. 이번 여름에 유럽여행 **간다고 말하며.**
b. 이번 여름에 유럽여행 **간다고 하며.**
c. 이번 여름에 유럽여행 **간다 하며.**
d. 이번 여름에 유럽여행 **간다며.**

(31) a. 나는 내일 서울에 **갈 것이야.**
b. 나는 내일 서울에 **갈 거야.**
c. (?) 나는 내일 서울에 **갈거야.**

문법화의 4가지 단계

문법화는 한 순간에 갑자기 일어나는 것이 아니며 천천히 점진적으로 일어나며 보통 (32)과 같이 4가지 단계를 거친다.

(32) 문법화의 네 가지 단계
a. 1단계: 초기단계(initial stage)
b. 2단계: 경과문맥(bridge context) 단계
c. 3단계: 전환문맥(switch context) 단계
d. 4단계: 관용화(conventionalization) 단계

제1단계는 문법화가 일어나기 전의 단계이다. 제2단계는 언어요소가 특정한 문맥에서 새로운 의미를 갖기 시작하는 단계로서 이 단계는 원래의 의미로도 해석될 수 있고 새로운 의미로도 해석될 수 있다. 제3단계는 새로운 의미가 강하게 나타나면서 본래의 의미로 해석되기 어려운 상황을 말한다. 마지막 제4단계는 문법화가 완성된 단계로서 문맥의 도움이 없이도 새로운 의미로

사용이 가능한 시기이며 제1단계와는 모순되는 상황에서도 쓰일 수 있다.

이 4가지 단계의 문법화 과정을 영어의 *be going to* 구문을 통해서 보면 다음과 같다. 영어에서 이는 원래 '*be* + 현재분사' 구조로 진행형 구문인데 현대 영어에서는 가까운 미래를 나타내는 표현으로 쓰인다. 즉 3 개의 단어가 결합하여 미래조동사의 역할을 하고 있는 것이다.

(33a)는 *go*가 '가다'라는 의미로 쓰인 진행형 구문이다. (33d)는 도저히 진행형 구문으로 해석할 수 없는 문장이며 *be going to*가 미래조동사로 쓰이고 있는 예이다. 이는 관용화 단계에 이른 것으로 초기단계와 비교할 때 두 가지 특이한 점이 있다. 첫째, *rain*이라는 명사는 원래 *go*와는 함께 쓰일 수 없는 말인데 이 문장에서는 이를 허용하고 있다. 동사 *go*가 본래의 '가다'라는 의미로 쓰이지 않았기 때문에 이것이 가능한 것이다. 둘째, 이 문장에는 *go*와 *come*이라는 모순적인 두 개의 단어가 함께 쓰이고 있다. 이 역시 *go*가 본래의 의미를 잃었기 때문에 가능한 것이다.

(33) 영어 *be going to* 구문의 문법화 과정

a. John *is going to* Paris.	(초기단계)
b. John *is going to* visit his parents.	(경과문맥)
c. John *is going to* do his best.	(전환문맥)
d. The rain *is going to* come.	(관용화 단계)

(33b)는 경과문맥 단계로 *be going to*가 본래의 의미로 쓰일 수도 있고 새로운 의미로 쓰일 수도 있는 상황이다. 문법화로 가는 다리(bridge)의 역할을 하는 문맥이다. 이러한 단계에서 *be going to*가 다른 동사들과 결합하다 보면 (33c)와 같이 본래의 '가다'라는 의미에서 점점 멀어진다. 새로운 의미 및 기능으로 전환된 것이다(전환문맥 단계). 이러한 기능이 굳어지면 관용화 단계에 들어가 문법화가 완성된다. (33a)와 (33d)는 얼핏 비슷한 구문으로 보이지만 다음과 같이 그 구조가 완전히 다른 것이다.

(34) a. John is going to Paris.

b. The rain is going to come.

우리말에서 '보다'가 본동사에서 조동사로 발전하는 과정도 이와 같이 4가지 단계로 나누어 볼 수 있다. (35a)는 문법화가 일어나기 전의 본동사 단계이다. (35b)에서 '보겠습니다'는 두 가지 해석이 가능하다. 문법화로 가는 다리의 역할을 한 문맥이다. (35c)에서 '보았다'는 더 이상 *see*라는 의미로 해석하기 어려운 상황이며 새로운 기능으로 전환된 상태라고 할 수 있다(전환문맥 단계). (35d)에서는 '눈을 감다'와 '보다'라는 모순적인 표현이 결합되어 있다. '보다'에 새로운 의미기능을 부여하지 않으면 해석이 불가능한 상황이다. 즉 여기서 '보다'는 (35a)의 '보다'와는 완전히 다른 동사, 즉 조동사로 보아야 한다(관용화 단계).

(35) 한국어 '보다'의 문법화 과정

a. 초기단계: 영아는 상자 하나를 보았다.
b. 경과문맥: 제가 한 번 가 보겠습니다.
c. 전환문맥: 영수는 그 음식을 먹어 보았다.
d. 관용화 단계: 철수는 눈을 감아 보았다.

토론해 보기

- '갈 + 거야, 갈 + 걸'을 붙여 써야 할지 띄어 써야 할지에 대해 문법화의 관점에서 토론해 보자.
- 다음 문장에서 밑줄 친 말의 품사는 무엇일까?
  (a) 방 안에 철수**밖에** 없다.
  (b) 칼 **가지고** 장난하지 말하라.
  (c) 내가 갔을 **때**, 영순이는 책상에서 자고 있었다.

참고문헌 및 더 읽을거리

강범모 (2010), 언어, 풀어쓴 언어학개론. 서울: 한국문화사.

고영근 (1987), 표준중세국어문법론. 서울: 탑출판사.

고영근·구본관 (2008), 우리말 문법론. 서울: 집문당.

권경근·박선자 (2009), 언어와 사회, 그리고 문화. 서울: 박이정.

권영수 (2011), 성별의 언어적 구조, 언어과학연구 59집, 1–22.

권정은 (2007), 통신 언어에 대한 세대 간 격차 및 해소방안, 한국정보문화 진흥원, 인터넷자료.

김민수 (1968), 국어의 구문구조, 아세아연구 XI–2. 고려대학교 아세아문제연구소.

김민수 (1970), 국어의 격에 대해여. 국어국문학 49/50.

김방한 (2001), 언어학의 이해. 서울: 민음사.

김상돈·이경희(1999), 근대국어의 격연구, 국어의 격과 조사. 小石 성광수 교수 화갑기념논총. 서울: 월인.

김종현 (2009), 언어의 이해. 서울: 태학사.

김진우 (1985), 언어. 서울: 탑출판사.

김진우 (2001), 언어습득의 이론과 실제. 서울: 한국문화사.

김진우 (2002), 제2언어 언어습득. 서울: 한국문화사.

김칠관·윤병천 (2011), 응용언어학개론. 서울: 양서원.

로우, 브루스 · 레빈, 아이안 (2007), 초보자를 위한 언어학 개론. 장영준, 유재기, 박명관 옮김. 서울: 시그마프레스.

로우, 브루스 · 레빈, 아이안 (2012), 언어학 강의. 장영준 옮김. 서울: 시그마프레스.

민현식 (1997), 국어 남녀 언어의 사회언어학적 특성 연구. 사회언어학 5권 2호, 529–587.

바우튼, 로렌스 (2009), 영어 대화함축 해석에 있어서 비원어민의 기술개발, 힝켈, 엘리 (편). 문화와 제2언어 교수 학습. 김덕영 옮김, 63–68. 서울: 한국문화사.

박다운 (2008), 제7차 중학교 국어 교과서에 나타난 성별언어의 양상과 성별언어를 통한 양성 평등 교육 방안 연구. 순천대학교 석사학위논문.

박상규 (2012), 언어학 개설. 서울: 집문당.

박석진 (2012), 한국어 성별언어의 실현 양상과 발화 상황 요인 연구: 하십시오체/해요체를 중심으로. 한국외국어대학교 석사학위논문.

박승빈 (1935), 조선어학. 경성: 조선어학연구회.

박은하 (2008), 텔레비전 광고에 나타난 성차이어와 성차별어 연구. 대구대학교 석사학위논문.

박철주 (2010), 대중매체 언어 연구—인터넷 통신 언어의 정체성 분석. 서울: 역락.

배윤덕 (1973), 격조사의 분류에 대하여. 연세어문학 4.

배주채 (1996), 한국어 음운론개설. 서울: 신구문화사.

서상준·손춘섭·양영희 (2011), 국어의 이해와 탐구. 서울: 역락.

성광수 (1977), 국어 조사에 대한 연구. 고려대학교 대학원 박사학위 논문.

송경안 (2011), 인칭대명사 유형론의 몇 가지 논점에 대하여, 독일언어문학 47: 1, 65–89.

송경안·이기갑(2008), 언어유형론 1–3. 서울: 월인.

신규철 (2002), 영어습득론 입문. 서울: 한국문화사

신원우 (1973), 국어의 격조사에 관한 역사적 연구. 동대논총(동덕여대) 3.

안효진 (2010), 인터넷 통신 언어의 사용 실태와 특징 연구. 수원대학교 교육대학원 석사학위논문.

오창석 (2010), 청소년의 통신 언어 사용 실태 연구. 청소년문화포럼 25호, 75–108. 청소년문화연구소.

유명주 (2004), 신세대의 통신 언어 사용실태 분석. 한양대학교 석사학위논문.

유지연 (2009), 통신 언어의 구어성 연구. 영남대학교 석사학위논문.

윤평현 (2008), 국어 의미론. 서울: 도서출판 역락.

이건환 (2004), 한국어의 격과 조사. 전남대학교 언어유형론 세미나 발표 자료.

이경민 (2003), 통신 언어의 국어학적 연구: 게시판 언어를 중심으로. 조선대교육대학원 석사학위논문.

이광선 (2005), 인터넷 통신 언어에 반영된 초등학교 고학년의 문화 특성. 한국교원대학교 석사학위논문.

이광정 (1987), 국어품사분류의 역사적 발전에 대한 연구. 서울: 한국문화사.

이기갑·최경룡 (2011), 성별언어의 차이에 관한 연구. 학문과 기독교 세계관 2집, 141–155.

이기백 (1972), 국어조사의 분류에 대하여. 이재수 박사 환갑 기념 논문집.

이성하 (1988), 문법화의 이해. 서울: 한국문화사.

이숭녕 (1956), 중등국어문법. 서울: 을유문화사.

이숭녕 (1981), 중세국어문법. 서울: 을유문화사.

이익섭·이상억·채완 (2005), 한국의 언어. 서울: 신구문화사.

이익섭·장소원 (2010), 국어학개론. 서울: 한국방송통신대학교출판부.

이정민 (1981), 한국어의 표준어 및 방언들 사이의 상호 접촉과 태도. 한글 173/174호.

이정민 · 이병근 · 이명현 (1977), 언어과학이란 무엇인가? 서울 : 문학과 지성사.
이정복 (2003), 인터넷 통신 언어의 이해. 서울 : 월인.
이정복 (2009), 인터넷 통신 언어의 확산과 한국어 연구의 확대. 서울 : 소통.
이정복 (2011), 인터넷 통신 언어 실태와 세대 간 의사소통의 문제, 배달말 49, 31–69.
이정복, 양명희, 박호관 (2006), 인터넷 통신 언어와 청소년 언어문화. 서울 : 한국문화사.
이진호 (2005), 국어음운론강의. 서울 : 삼경문화사.
이철수 외 (2010), 언어와 언어학. 서울 : 역락.
이충회 · 김원필(2008), 스페인어의 기본문형. 송경안 · 이기갑 외(편), 언어유형론 1. 서울 : 월인.
이형일 (2006), 중학생의 통신 언어 사용 실태와 지도 방안 연구. 경기대학교 교육대학원 석사학위논문.
이희승 (1949), 초급국어문법. 서울: 박문사.
임지룡 (1991) 의미의 본질에 대한 심리언어학적 해석. 언어과학연구 8, 57–74.
임지룡 (1997), 인지의미론. 서울 : 탑출판사.
임지룡 (2006), 인지언어학적 관점에서 본 의미의 본질. 한국어 의미학 21, 1–29.
장석진 (1987), 화용론 연구. 서울 : 탑출판사.
장석진 외 9인 (1997), 현대어어학. 서울 : 한신문화사.
전병용 (2002), 통신 언어의 연구 I : 표기의 특징을 중심으로. 국문학논집 18, 단국대학교국어국문학과, 37–60
전혜영 (2004), 남자와 여자의 언어 어떻게 다른가? 새국어생활 14권 4호, 25–43.
전혜영 (2006), 언어 사용자의 성별과 발화 특성. 한국어학31, 46–70.
정기철 (2012), 지성인을 위한 글쓰기. 서울 : 역락.
정선희 (2008), 청소년 통신 언어 실태 분석 및 지도 내용. 성신여자대학교 석사학위논문.
정인승 (1956), 표준중등말본. 서울: 어문각.
정진수 (2005), 컴퓨터 통신 언어 연구. 서울 : 도서출판 역락.
정택윤 (2009), 통신 언어의 사용 실태 분석. 고려대학교 석사학위논문.
진 에이치슨 (2002), 언어학의 이해. 임지룡 옮김. 서울 : 한국문화사
최명원 (2002), 언어와 성. 독일문학 43권 4호, 38–566.
최용선 (1995), 성별에 따른 언어의 차이에 대한 연구. 건국대학교 대학원 논문집, 55–69.
최용선 (2003), 성별에 따른 영어 사용상의 차이 · 차별에 대한 연구. 새한영어영문학 45권 1호, 269–292.
최전승 · 최재희 · 윤평현 · 배주채 (2008), 국어학의 이해. 서울 : 태학사.

최현배 (1937), 우리말본. 경성: 연희전문대학교 출판부.

최호철 (2006), 전통 및 구조 언어학에서 본 의미의 본질. 한국어 의미학 21,31–49.

하 일 (2007), 성차이어와 성차별어에 관한 고찰: 성별어에 관한 탐구학습을 중심으로. 아주대학교 석사학위논문.

한국사회언어학회 (2007), 문화와 의사소통의 사회언어학. 서울: 한국문화사.

한국일어일문학회 (2009), 언어표현을 통해서 본 한일문화. 서울: 제이앤시.

허 웅 (1963), 언어학 개론. 서울: 정음사.

홍기문 (1947), 조선문법연구. 서울: 서울신문사.

홍영예·윤영은·백미현·오은진·채서영·이화연 (2011), 영어학의 이해. 서울: 한국문화사.

홍재성 (1999), 한국어 문장과 그 구조. 남기심·이상억·홍재성 편. 외국인을 위한 한국어 교육의 방법과 실제. 제9강. 서울: 한국방송통신대학교 출판부.

Austin, J. L. (1975), How to Do Things with Words. Cambridge, Mass.: Harvard University Press.

Bialystok, E. & Hakuta, K. (1999), Confounded age: Linguistic and cognitive factors in age differences for second language acquistion. In D. Birdsong (ed.), Second Language Acquisition and the Critical Period Hypothesis. Mahwah, NJ: Lawrence Erlbaum Associates.

Brown, H. (1994), Teaching by Principles: An Interactive Approach to Language Pedagogy. New York: Longman.

Brown, P & S. Levinson (1978), Universals in language usage : politeness phenomena. In E.N. Goody (ed), Questions and Politeness : Strategies in Social Interaction, 56-311. Cambridge/ New York : Cambridge University Press.

Chomsky, N. (1957), Syntactic Structures. The Hague: Mouton & Co.

Chomsky, N. (1965), Aspects of the Theory of Syntax. Cambridge, Mass.: MIT Press.

Chomsky, N. (1981), Lectures on Government and Binding. Dordrecht: Foris.

Fasold, R (1984), The Sociolinguistics of Society. Oxford: Basil Blackwell.

Fasold, R. (1990), The Sociolinguistics of Language. Oxford: Basil Blackwell.

Grabois, H. (1997), Love and power : Word associations, lexical organization and second language acquisition. Unpublished doctoral dissertation, Cornell University, Ithaca, New York.

Grice, H. (1975), Logic and conversation. In Cole, P. (ed), Syntax and Semantics 3, 41–58. New York: Academic Press.

Grice, H. Paul (1978), Further notes on logic and conversation. In Cole, P. (ed.), Syntax and

Semantics 9: Pragmatics. 113–127. New York: Academic Press.

Gumperz, J. (1968), The Speech Community. Duranti, Alessandro (ed.) Linguistic Anthropology. New York: Macmillan.

Hall, E. (1959), The Silent Language. New York: Doubleday.

Hall, E. (1966), The Hidden Dimension. New York: Doubleday.

Hall, E. (1976), Beyond Culture. New York: Doubleday.

Heine, B., U. Claudi & F. Hünnemeyer (1991b), Grammaticalization : A Conceptual Framework. Chicago : University of Chicago Press.

Hornby, A. S. (1974), Oxford Advanced Learner's Dictionary of Current English. Oxford: Oxford University Press.

Humboldt, W.(1836), Über die Verschiedenheit des menschlichen Sprachbaus und ihren Einfluss auf die geistige Entwicklung des Menschengeschlechts. Berlin.

Jackson, J.(ed.) (2012), The Routledge Handbook of Language and Intercultural Communication. New York: Routledge.

Jia, G. & Aaronson, D. (1999), Age differences in second language acquisition: The dominant language switch and maintenance hypothesis. In Proceedings of the 23rd Annual Boston University Conference on Language Development. Vol 23. 301-312

Kim, C. M., D. H. Lee & K. C. Nam (2004), Cerebral activation areas with respect to word and sentence production by early and late Korean–bilinguals: event–related fMRI study. In Neural Information Processing. Berlin: Springer. 316–320.

Labov, W. (1963), The social motivation of sound change. Word 19: 273–309.

Labov, W. (1972), Language in the Inner City. Philadelphia: University of Pennsylvania Press.

Labov. W. (1978), Denotational Structure. Paper from the Parasession on the Lexicon.

Lakoff, R. (1973), The logic of politeness: or minding your p's and q's. Proceedings of Ninth Regional Meeting of the Chicago Linguistic Society. 292–305.

Lakoff, R. (1977), What you can do with words: politeness, pragmatics and performantives. Rogers, A., B. Wall & J. Murphy (eds), Preceedings of the Texas Confrence on Performatives, Presuppositions and Inplicatures, 79–106. Washington: Center for Applied Linguistics.

Leech, G. (1981), Semantics. Harmondsworth: Penguin Books.

Levinson, S. C. (1983), Pragmatics. Cambridge: Cambridge Uni– versity Press.

Levy, J., C. Trevarthen & R. W. Sperry (1972), Perception of bilateral chimeric figures following hemispheric deconnexion. Brain 95, 61–78.

Lyons, J. (1977), Semantics. Vol 1 & 2. Cambridge: Cambridge University Press.

Mey, J, L. (2001), Pragmatics: An Introduction(2. ed). Oxford: Blackwell. 이성범 옮김 (2007), 화용론 개관. 서울: 한신문화사.

Ogden, C. & I. A. Richards (1923), The Meaning of Meaning. London: Routledge & Kefan Paul. 김봉주 옮김(1986), 의미의 의미. 한신문화사.

Pinker, S. (1994), Language Instinct, New York: Harper Collins Publishers.

Reischauer, E. O.(1960), Chapter 10 of Reischauer, E. O. & J. Fairbank, East Asia: The great tradition. Boston: Houghton Mifflin.

Rosch, E. (1973), Natural Categories. Cognitive Psychology 4.

Sampson, G. (1990), Writing Systems: A Linguistic Introduction. Stanford: Stanford University Press.

Saussure, F. (1935), Cours de linguistique générale. Paris : Payot.

Searle, J. R. (1969), Speech Acts. Cambridge: Cambridge University Press.

Traugott, E. & B. Heine(eds.)(1991), Approaches to Grammaticalization. Vol. 1–2. Amsterdam/Philadelphia: John Benjamins Publishing Co.

Vos, F.(1964), Papers on Korean Studies. In: J. K. Yamagiwa (ed.), Papers of CIC Far Eastern Language Institute, The University of Michigan. Committee on Far Eastern Language Instruction of the Committee on Institutional Cooperation(Ann Arbor, Michigan).

Weinreich, U., Labov, W. & M. Herzog (1968), Empirical foundations for a theory of language change. Lehmann, W. and U. Malkief (eds), Directions from Historical Linguistics. Austin: University of Texas Press.

찾아보기

저자들은 전남대학교에서 오랫동안 "언어의 이해"를 강의한 팀이다. 송경안은 전남대학 독어교육과(학사), 서울대학 독문과(석사)를 거쳐 서울대학 언어학과 박사과정을 수료하고 독일 Bochum 대학 언어학과에서 박사학위를 받았다. 독일 학술교류처(DAAD) 장학금을 받아 독일에서 공부하였고 이후 독일 Humboldt 재단의 지원을 받아 Bochum 대학과 Köln 대학에서 연구한 바 있다. 현재 전남대학 독문과에 재직하고 있다. 박은경, 김백승은 전남대학 영문과에서 황금연은 전남대학 국문과에서 그리고 김은영은 전남대학 기초교육원에서 가르치고 있다. 양미애는 조선대학교 프랑스어과 교수로 재직 중이다.

언어의 숲에서 산책하기

언어의 이해

1판 1쇄 발행 _ 2015년 8월 31일
1판 4쇄 발행 _ 2020년 9월 15일

저　　자 • 송경안 외
발 행 인 • 정 현 걸
발　　행 • 신 아 사
인　　쇄 • 한승인쇄
출판등록 • 1956년 1월 5일 (제9-52호)
주　　소 • 서울특별시 은평구 통일로59길 4 2F
전　　화 • (02)382-6411 • 팩스 (02)382-6401
홈페이지 • www.shinasa.co.kr
E-MAIL • shinasa@daum.net

ISBN : 978-89-8396-912-5 (93700)
저자와의 협의로 인지를 생략합니다.

정가 15,000원